五線と文化譜で
わかりやすい！

やさしい三味線講座

千葉登世 編著

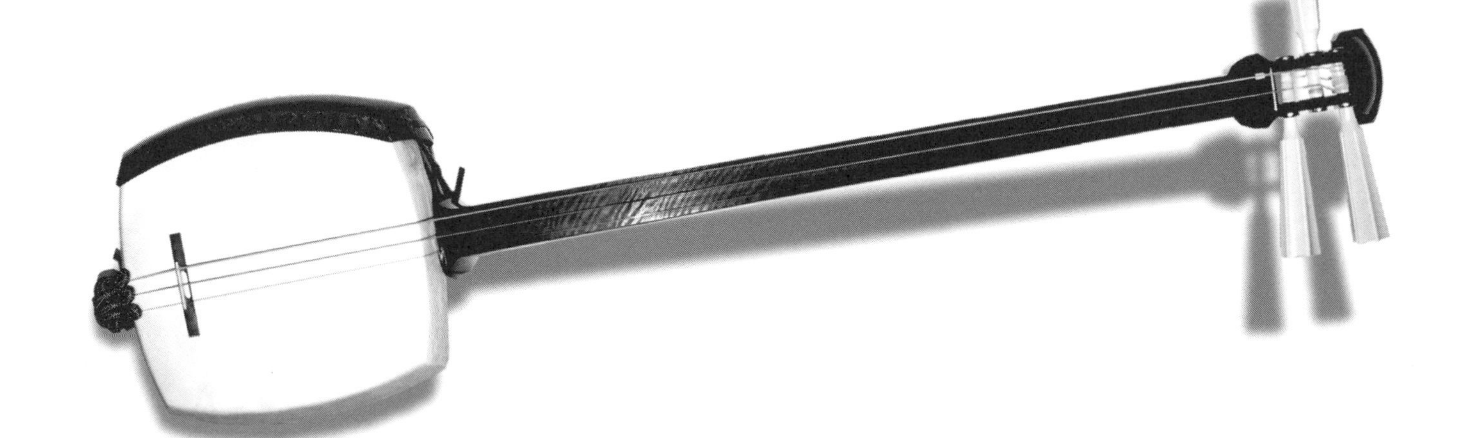

自由現代社

五線と文化譜でわかりやすい！

やさしい三味線講座

Contents

◆ 第三章　実践編　テクニックを身につけましょう

◆ 第四章　応用編　曲を弾きましょう

◆ 第五章　知識編　三味線に関する役立つ知識

はじめに

本書を手にとって下さり、有難うございます。

本書は三味線の教則本ですが、三味線の歴史にも軽く触れています。日本の伝統音楽と深く結びついている三味線を学習するにあたり、どのような三味線音楽を選択するべきか迷う方もおられることでしょう。そのようなときには、第一章の三味線の歴史や音楽の種類を参考にしてください。音楽の上達には練習を積み重ねることはもちろん、聴くこともとても大切です。三味線の歴史や音楽の種類を間近に感じるために、舞台へ足を運ぶこともお勧めします。

世界に誇れる日本伝統音楽は、歴史とともに沢山の「流派」を生みだし今もなお歩み続けています。しかし、この書では「流派」という枠を越えて、世界中の老若男女の方々に三味線を楽しんでいただきたいという願いから、一般的な三味線の入門書として出版社様に御協力をいただきました。そのようなことから文化譜に使われる記号や奏法は、一般的な記号に統一致しましたことをご考慮いただければ幸いです。

また、末巻には文化譜と五線譜をつなぐ「変換表」を考案させて戴きました。三味線の未来へ向けて更なる「進化・発展」がなされていくことを切に願っています。

なお、末筆ではありますが、本書の制作にあたり多大な御理解と御協力を承りました澤田勝成先生、資料収集にあたり多大なる御協力を承りました各施設及び各店舗の皆様、御縁を下さった泉田由美子先生、その他、お力添えを承りました関係者の皆様、心より厚く御礼を申し上げます。

千葉 登世

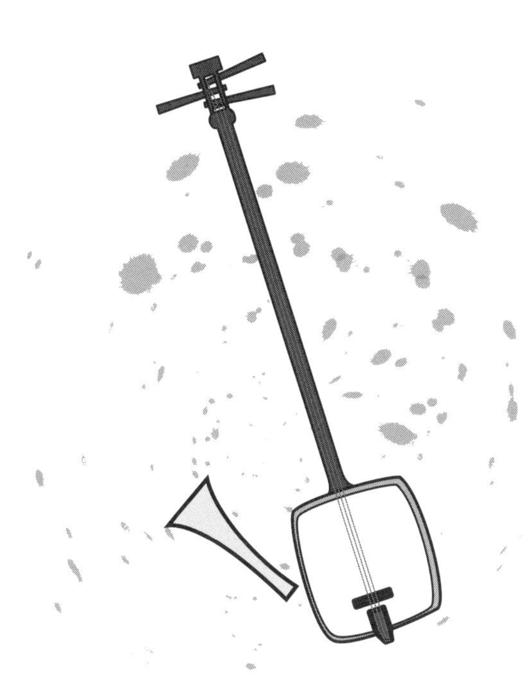

□ 第一章 準備編

三味線の歴史、種類

第一章　準備編　その一

三味線の歴史・発展

❐ 三味線の歴史について

弦楽器は、弦をはじく撥弦（はつげん）楽器と弦を弓でこする擦弦（さつげん）・弓奏楽器に分類され、三味線は撥弦楽器に属します。一弦〜三弦の人類最古の楽器は、古代エジプトの墳墓に描かれたネフェル、またはノフルと呼ばれる洋皮を胴に張った楽器に見ることができます。三味線の起源といわれる中国の三弦（さんしぇん）は、ペルシャ（現イラン）のセタールや中央・西アジアやインド周辺の民俗楽器であるタンブール、中国古来の撥弦楽器や棹が胴を貫通している擦弦楽器の胡弓類、さらにフレットのないダムエン系の楽器を改良し元の時代に作られました。これら三弦の基となる各国の楽器は、モンゴル帝国支配の元の時代13世紀頃シルクロードの最盛期に中国へ伝えられ普及したといわれています。

中国の三弦が琉球王国へ伝えられたのは14世紀後半（1390年頃）で、福建省の琉球移民によるものという説があります。琉球ではそれを小型に改良して、「三線（さんしん）」と呼び、琉球歌曲の伴奏に使用し現在に至っています。

❐ 日本に渡った経緯

三味線が我が国に伝来したのは、江戸時代に書かれた代表的な歴史の本によると永禄年間（1558〜1570年）から文禄年間（1592〜1596年）頃と定説されていますが、天生年間（1573〜1592年）に三味線が演奏された記録があることから、文禄年間説は誤りであると考えられています。しかし、永禄年間と断定できる積極的な根拠もないといわれています。永禄年間を代表する江戸時代初期の百科全書『色道大鏡（1678序文）』によると、琉球（沖縄）から蛇皮を張った二本の弦の楽器が当時自由貿易港として栄えていた大阪湾の境港に輸入され、この楽器を手にした「中小路」という盲目の琵琶法師が三本弦に改造したのが始まりと通説されていますが､琉球（沖縄）に近い薩摩に伝わったという説もあります。

一方、文禄年間説を記述する入門独習書『糸竹初心集（1664年）』によると、石村検校という琵琶法師が琉球に渡り弓で擦り鳴らす三本弦の楽器（小弓）を演奏し、京都に戻ってから琵琶を基に改造し三味線を作ったのが始まりとされる説もあります。それぞれ琉球から伝来した点は共通していますが、伝来時期や三味線の基になった形は大きく異なっています。

以後30年余りの月日をかけて改良を加え、安土桃山時代には日本の三味線の原型を完成させたといわれています。

❐ 三味線が現在の形になるまで

輸入当初、中国の三弦や琉球の三線の皮は蛇皮（ニシキヘビ）を胴に張っていましたが、日本の三味線には、猫や犬の皮を使用しました。蛇皮の使用をやめた理由は、日本には大きな蛇は生息しておらず輸入や管理が困難であったためと定説されていますが、17 世紀後半には三味線の胴や棹・撥(ばち)等に輸入材料が使われていたことから蛇皮の輸入も可能だったと考えられており、撥が皮に当たるときの感触や音色に対する好みによるものという一説もあります。

また、琉球の三線は 3 本の弦を水牛や山羊の角、黒檀等で作られた「義甲(ぎこう)」を用いて演奏するものでしたが、琵琶の撥を基(もと)にしたイチョウ型の撥に改良され弦を打って演奏するようになりました。

さらに、胴体を膝の上で安定させるために木を 4 枚張り合わせて大型化し、琵琶の音楽的要素として重要なポイントとなる「サワリ（糸［弦］がフレットに触れて生じるビーンという響き）」が三味線に取り入れられました。大きさ的には、三線の基となる中国の三弦を参考にしたという説もあります。このようにして、声の表現になじむ独特の味わいをもつ新しい楽器、三味線が生み出されました。

❐ 三味線の曲、奏法の発展

この三味線を初めて演奏し始めたのは琵琶法師でした。辻説法や語り物の伴奏に使われ始め、次第に劇場音楽や民謡等、民衆の生活へ入り込んでいきます。その過程で「浄瑠璃(じょうるり)」という語り物へと発展していき、小歌曲を連ねた「地唄」等の作曲が行われるようになると「歌謡」の演奏にも好んで使用されるようになりました。その後、地唄に比べて長めの内容を持つ「**長唄**」が作られるようになり、1600 年初めには江戸へと伝えられました。

江戸では歌舞伎舞踊の伴奏として使われ流行し、1700 年代初期には一般に「江戸長唄」と呼ばれるようになり、歌舞伎と共に発展した長唄は、浄瑠璃・謡曲等の様式を取り入れることで日本音楽の中で最も幅の広いものになって、三味線独自の多種多様な文化が生まれました。

音楽の間に厳格なる制限が行われていた江戸時代には、雅楽は貴族に、能楽は武家に、箏や琵琶は貴族社会や神社に、尺八は虚無僧に限定され、民衆の楽器は笛や打楽器ぐらいでしたので、日本の三味線は民衆にとって初めての弦楽器となり爆発的なブームとなりました。民衆は江戸時代の250年間、さらにこの三味線の研究を重ね技巧を積んで驚くべき精巧緻密な楽器に作りあげました。

このように進化を重ねた三味線は、旋律をなめらかに弾くことも撥でリズム的な効果を出すこともでき、琵琶よりも音域が広く声の微妙な変化にも対応できるので歌伴奏には最も適していました。演奏することは技巧的に難しいといわれる三味線ですが、独奏楽器、歌の伴奏楽器、また、劇や舞踊楽器にも適し用いられる等、他の楽器に比べてその用途が幅広いことから隆盛をみて日本の代表的民族楽器として今日に至っています。

第一章　準備編　その二

三味線音楽の種類「歌い物」

❐「歌い物」とは？

日本の伝統音楽は、器楽演奏が多い西洋音楽とは異なり、殆どが声による表現を中心とした声楽です。三味線音楽は「**歌い物**」と「**語り物**（P.10）」の二つに大別されます。

「歌い物」とは、「**節（旋律やメロディ）を聞かせることを中心に作られた音楽**」のことで、特徴として旋律の流れを大切に表現するために、言葉を引き延ばして歌う技巧が多く用いられます。

❐地歌

地歌とは「**三味線を伴奏とする声楽曲**」です。土地の唄（歌）という意味があり16世紀江戸時代に生まれた最も古い三味線音楽です。唄と三絃（三味線）・箏・胡弓等の楽器が用いられ、主として江戸時代は上方（京都や大阪）を中心に弾き歌いの盲人音楽家の専門芸として伝承され、明治以降全国に広がりました。

当初は関係のないいくつかの曲を組合わせて1曲にまとめた「**組歌**」という形式でしたが、次いで歌詞に一貫性をもたせた「**長唄**」や、自由な様式の「**端歌**」、さらに能の題材や詞章を取り入れた「**謡物**」や浄瑠璃を移入した笑いを誘う滑稽な「**作物**」等、様々な形式が生まれました。18世紀後半には、歌と歌の間に三味線だけの間奏部をもつ「**手事物**」が誕生し、地歌を代表する楽曲形式となりました。

❐箏曲

箏曲とは、「**箏を伴奏とする声楽曲**」のことです。箏は雅楽の楽箏から始まり、平安貴族・寺院と関わり、九州・久留米に筑紫箏を派生させました。これを17世紀（江戸初期）に三味線奏者の八橋検校（※1）が学び、近代箏曲が誕生しました。最初は三味線の「**組歌**（※2）」13曲とは形式が異なる箏の「組歌」として始まりましたが、後に地歌と結びつくことにより、三味線と箏と胡弓（後に尺八）の合奏曲の「**段物**（※3）」3曲を制定しました。

箏曲

※1　箏の他、胡弓や三味線の名手。『6段の調』『みだれ』等の曲は八橋検校の作品といわれている。検校とは、中世・近世日本の僧侶や盲人の役職で最高位の名称。

※2　箏の伴奏による歌曲。いくつかの短編歌謡の詞章を組合わせて1曲としたもの。

※3　歌を伴わない箏の器楽曲。1曲が数段で構成されていることから段物と呼ぶ。

18世紀後半には、生田検校や山田検校らが江戸で当時もてはやされていた「**河東節**（かとうぶし）」や「**謡曲**（ようきょく）」等を巧みにとり入れ、語り物的性格をもった箏曲を作り上げました。現代の箏曲が大きく発展したのは、西洋音楽の影響を受けた宮城道雄（宮城検校）の出現によるものといわれています。

❐ 長唄（ながうた）

地歌・箏曲が室内楽であるのに対し、三味線伴奏の「**長唄**（※4）」は17世紀以降江戸歌舞伎・舞踊の劇場音楽として歌舞伎とともに発展しました。京坂（阪）の地唄をルーツにもつ長唄は、他の浄瑠璃や能楽等あらゆるジャンルの音楽の影響を受け、多彩な音色・リズムをもつことから、地味な印象をもつ地唄や箏曲に比べて「**派手な印象**」をもちます。

また、長唄の特徴として、唄と三味線それぞれ専門の人が行います。劇場では三味線の他、笛や・太鼓・大鼓（おおつづみ）・立鼓（たてつづみ）・小鼓（こつづみ）等のお囃子（はやし）もついて演奏されます。長唄も浄瑠璃や謡曲から題材を得た様式の曲が作られ、18世紀後半には「**荻江節**（おぎえふし）（※5）」がお座敷で楽しまれるようになり、19世紀前半には歌舞伎や舞踊から離れ音楽として鑑賞されました。

雨の吾郎（長唄）

藤娘（長唄）

❐ 端唄（はうた）・うた沢・小唄（こうた）

端歌（※6）は、江戸時代後期から幕末にかけて流行した「**三味線を伴奏とする短い唄**」です。長唄に対して「**短い**」ので端唄とよばれ、明るい庶民の音楽として各地のお座敷歌も取入れ楽しまれました。端唄を基に一中節（いっちゅうぶし）を模範に作られたのが「うた沢」です。うた沢には芝派と寅派があり、テンポがゆるやかで品位を重んじた特徴をもっています。

舞台での三味線演奏

小唄は端唄よりもさらに短くテンポよく粋にしたもので、撥を使わず爪弾き（※7）で演奏します。

※4　長唄は、地歌の長歌を基に江戸歌舞伎に取入れられ劇場音楽として発展。江戸では「長唄」と表記された。

※5　古曲とよばれ18世紀江戸時代に長唄から枝分かれしたお座敷音楽。唄が主体で節を丁寧に動かして唄う特徴をもつ。

※6　上方で生まれた地歌の端歌とは異なる声楽曲。

※7　右手人差指の先で弾くこと。

第一章　準備編　その三

三味線音楽の種類「語り物」

❐「語り物」とは？

「語り物」とは、琵琶を伴奏に『平家物語』を語る平曲や、三味線を伴奏に使った浄瑠璃等、物語を語るように演奏をするもので、話の筋や登場人物の気持ちのこもった台詞等、「**物語を聞かせることを中心に作られた音楽**」のことです。技巧的で繊細な声の表現を発展させたのが、邦楽（※1）の大きな特徴だといわれています。

❐平家琵琶、または平曲

平家琵琶は、平家一族の繁栄と没落を描いた『**平家物語**』を、「**琵琶を演奏しながら語る音楽**」です。はじめの頃は、盲目の僧が琵琶を伴奏しながらお経を唱えたり物語を語ったりしていました。日本の琵琶は全て古代～平安初期（7～9世紀頃）、中国から日本に入った雅楽琵琶（楽琵琶）から発達しています。

鎌倉時代になると『平家物語』を語る集団が現れ、「平曲」と呼ばれるようになりました。盲目の僧が語る平曲は専門芸とされ、室町時代には明石覚一を中心に幕府の保護のもと当道（※2）とよばれる組織が結成され、江戸時代まで続きました。広く庶民に親しまれましたが、明治時代には廃止となり平曲が演奏される機会が少なくなってしまいました。平家琵琶は、『平家物語』の各章を一曲としておよそ200曲あります。

平家琵琶

❐義太夫節・女義太夫

義太夫節は、「**人形浄瑠璃で用いられる音楽**」です。安土桃山時代に琉球（現在の沖縄県）から伝えられた三味線が改良され、三味線伴奏の語り物である「浄瑠璃」が誕生しました。その後、人形芝居と結びつき色々な浄瑠璃に発展していきます。江戸時代1684年に大阪で竹本義太夫により創立された竹本座では、近松門左衛門の優れた戯曲と共にそれまでにない浄瑠璃を作り人気を博しました。これを「**義太夫節**」といいます。

※1　日本の伝統的な音楽の総称。雅楽、能楽、三味線音楽、民謡等。

※2　中世に始まり、盲人の官位を司った職業を保護する組織。

義太夫節は、太夫の語り（浄瑠璃）と三味線の演奏で構成され、太棹三味線を使い重圧で迫力ある演奏で舞台上の人形たちに生命を吹き込むように写実的に語られ、情景や雰囲気、人の喜怒哀楽を表現します。女性が語る義太夫節のことを「**女義太夫**」とよびます。

世界無形文化財に登録された人形浄瑠璃「**文楽**」の音楽は義太夫節です。

❐ 豊後節・常磐津節・清本節

豊後節は都一中の弟子、宮古路豊後掾が作った浄瑠璃で、名古屋や江戸で歌舞伎に進出し大評判となりましたが、元文年間（1736 ～ 1741 年）に幕府から弾圧されてしまいます。

常磐津節は 18 世紀、全盛期を迎えていた江戸歌舞伎の劇場音楽として隆盛に乗じながら発展しました。豊後掾の弟子、常磐津文字太夫（1709 ～ 1781 年）創始による浄瑠璃で、義太夫節等を基に重厚な味わいの歌舞伎舞踊の音楽として、現在でも「**歌舞伎になくてはならない音曲の一つ**」になっています。

常磐津節は、語りと歌のバランスが良く自然な発声です。また、所作に合わせて時代物（※ 3）には重圧な節を、世話物（※ 4）には情緒豊かな節を、時には古風に艶っぽく語る工夫がされています。

演奏する際の基本編成は、太夫 3 人、三味線弾き 2 人で中棹（※ 5）三味線を用い、主旋律を弾く「**立**」と高音部を弾く「**上調子**」に分かれます。

常磐津節から富本節が分かれ、その後、文化年間（1804 ～ 1818 年）に清元延寿太夫が清元節を誕生させました。清元節は 19 世紀初期から始まる三味線音楽で、江戸文化爛熟の雰囲気を反映し、粋でしゃれた曲調になっています。浄瑠璃なので歌舞伎・舞踊との繋がりも深く、その発声が非常に技巧的で、江戸情緒を甲高い声で効果的に聞かせる独特な発声法と節回しが見られます。

豊後節から派生した常磐津節・富本節・清元節を「**豊後三流**」と呼びます。

妹背山（常盤津節）

お夏（清元）

※ 3　江戸時代以前の歴史上の人物や事件を扱った浄瑠璃。

※ 4　恋愛模様や心中・殺傷事件・親孝行話・奇跡等を題材に脚色した浄瑠璃。

※ 5　棹と胴の太さが中程度のもの。義太夫節を除く各種浄瑠璃や地歌等は中棹に限らず三味線各種を用います。

❏ 新内節（しんないぶし）・琵琶楽（びわがく）・浪花節（なにわぶし）

新内節は豊後節の系列の浄瑠璃（語り物）で、宝暦（1751 ～ 1764 年）頃に**鶴賀若狭掾**（つるがわかさのじょう）（1717 ～ 1786 年）によって曲風が確立（※ 1）された浄瑠璃です。新内という名は、安永（1772 ～ 1781 年）に美声で人気のあった若狭掾の弟子の２代目・鶴賀新内の名前からつけられたといわれています。また、歌舞伎からはなれて主に座敷で演奏されるようになったのが新内節です。

新内節には、豊後節の憂（うれ）いを帯びた趣きが留められているといわれています。かつて、三味線を弾きながら街頭を歩く「**新内流し**」も流行りました。抒情豊かな語りが特徴で、題材には駆け落ちや心中等、男女の恋に関係している人情劇が描かれています。三味線は中棹を用い、太夫は地の部分の三味線を、三味線弾きは上調子（高い調子の三味線）を受けもちます。

琵琶楽とは、「**琵琶を演奏しながら弾き語る音楽**」です。九州地方で伝承されてきた仏教音楽の一種である「盲僧琵琶（※ 2）」や平家物語を語る「平家琵琶」がありますが、近代に発展した薩摩琵琶・筑前琵琶等の琵琶学も語りの性質が強く、明治後半から昭和初期にかけて全国に流行しました。現在、主に演奏されている琵琶は、薩摩・筑前ともに四絃・五絃と改良を重ね、西洋音楽の影響を受けています。

浪花節は明治２～４年頃（1869 ～ 1871 年）に、東京で「浪花節」という名称がついたといわれています。1900 年代の初頭までは、ちょんがれ節・ちょぼくれ節・うかれ節等と呼ばれ、全国的に共通した名称はありません。大正６年（1917 年）頃には「**浪曲**（ろうきょく）」が現れて以来、浪曲と浪花節は併用されています。

宗教音楽から芸能化・娯楽化した「説経」「祭文」等から生まれた浪花節も、即興的な三味線の伴奏により、節（旋律）と短歌（台詞）で語られる語り物の一種です。三味線は太棹を使用し、歯切れよく賑やかに演奏します。

※ 1　新内節は宮古路豊後掾の弟子の富士松薩摩掾を遠祖とし、薩摩掾の弟子鶴賀若狭掾によって確立された。

※ 2　平家琵琶を改良した三味線風琵琶。

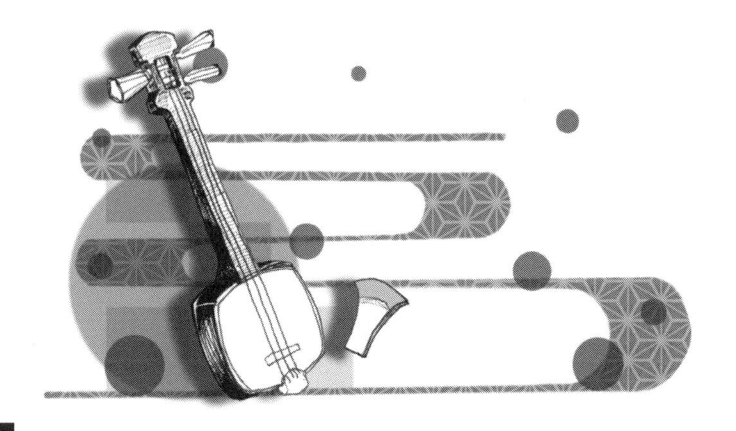

三味線の種類

三味線は江戸文化と結びついて一大発展を遂げ、次々に新しい分野の三味線音楽が創造されました。そして、三味線の広がりとともに、それぞれの音楽に合わせた楽器が生み出されました。

三味線の種類は、「**太棹三味線**」「**中棹三味線**」「**細棹三味線**」に大別することができますが、さらに種目や流派等によって使用する撥の大きさや重さ、材質、音階、音質等が異なります。また、個人の好みや曲目によっても異なる場合があります。ここでは、三味線の用途・演奏形態・特徴について説明します。

❐ 三弦（さんしえん）

●用途

南方の語り物・伝統劇の伴奏等。

●演奏形態

構え方は、津軽三味線と似ています。また、歴史的に歌の伴奏楽器として人気があります。演奏技法は中国らしいトレモロ奏法が中心で、一般的には古典的な曲の演奏に用いられます。

●爪

現代では象牙の撥は使用せず、プラスチック製のピックが主流で、人差指の先につけて演奏します。

三弦

●概要

沖縄の三線（さんしん）のルーツといわれる中国の楽器です。中国では弦子（シェンズ）とも呼ばれ、日本では中華三味線（ちゅうかじゃみせん）、支那三味線（しなじゃみせん）と呼ばれることもあります。また、三弦は地域によってネック（棹部分）の長さが違います。

南方の三弦は「**小三弦**」とよばれ、棹部分を含めて 90 ～ 95cm 程度です。それに対し北方の三弦は「**大三弦**」とよばれ、110 ～ 120cm ほどあり約 3 オクターブの音域があります。弦は絹糸を使用し、調弦法は日本の三味線で例えると、本調子または、二上がりに合わせます。

胴に蛇皮を張り、人差指の爪、または人差指に演奏用の爪を付けて演奏します。最近は 5 本の指全部に爪を付けて演奏するケースもあります。

❐ 三線（さんしん）

●概要

中国の三弦（さんしえん）がルーツと言われています。

琉球王朝では、士族の男子の嗜み（たしなみ）として推奨され、伝統音楽の中心となりました。琉球への伝来は 13 世紀～ 14 世紀、17 世紀初頭に琉球王朝主取という職があった記録から、17 世紀には現在の三線に近いものが存在していたといわれています。日本の三味線が改良され変化していく中で、沖縄三味線・琉球三味線・沖縄蛇味線・沖縄蛇皮線等、多様な呼び方をするようになりました。

胴や棹に黒い漆（うるし）を塗り、胴にはニシキ蛇の皮を張ります。水牛や山羊の角でできた爪で、3 本の弦を弾いて演奏します。

最近は沖縄ポップスの人気とともに、伝統音楽に留まらない存在として注目されています。

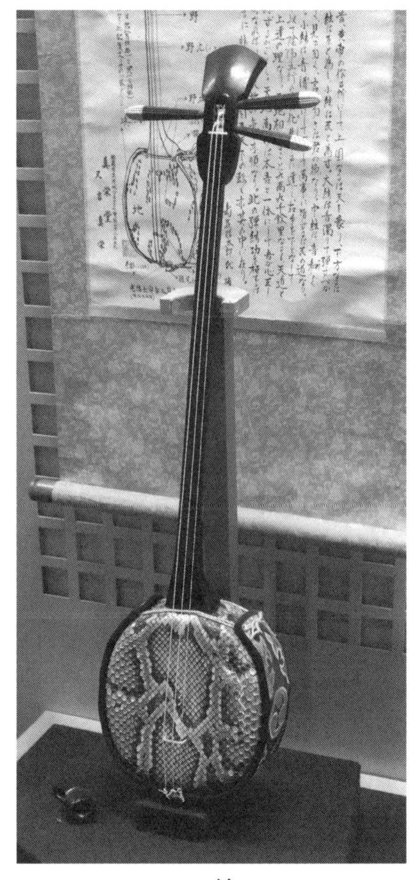

三線

●爪

水牛や山羊の角製等を使用し、撥とも呼びます。人差指にはめて弦を弾きます。

三線の爪

●三線の種類

三線には、**南風原型・知念大工型・久場春殿型・久葉の骨型・真壁型・輿那型**等 6 つの型があります。これら 6 つの型は、上部の天・糸蔵・棹・鳩駒等 4 ヶ所にそれぞれの特徴がありますが、これらの特徴は、音色の違いというよりも「**棹の長さ**」や「**太さ**」の違いなので、外見や弾き心地に大きく影響します。作り方は職人さんによって様々なので、棹の長さや太さ等を相談しながら自分に合うものを選ぶと良いでしょう

●三線の材質

三線の材質の違いは大きく分けて、**かんから三線**（空き缶製）・**本皮三線**（ニシキ蛇の皮）・**人工皮三線**（ナイロン製）・**強化張三線**（本皮とナイロン）等、4 種類あります。

●沖縄の楽器

古典音楽の中心になるのは「歌三線（うたさんしん）」です。沖縄の音楽は唄と三線が一体となって存在します。三線に、箏・胡弓・笛・太鼓等の音色が絡み合い沖縄独特の艶のある音楽が作りだされるのです。

❒ 胡弓（くーちょー）

●概要

三線とともに中国から伝えられたといわれています。ヤシの実等をくり抜いた丸胴に蛇の皮を張ります。棹は黒檀で３～４本の弦が張られ、馬の尾の毛でできた弓で弦を擦って演奏します。

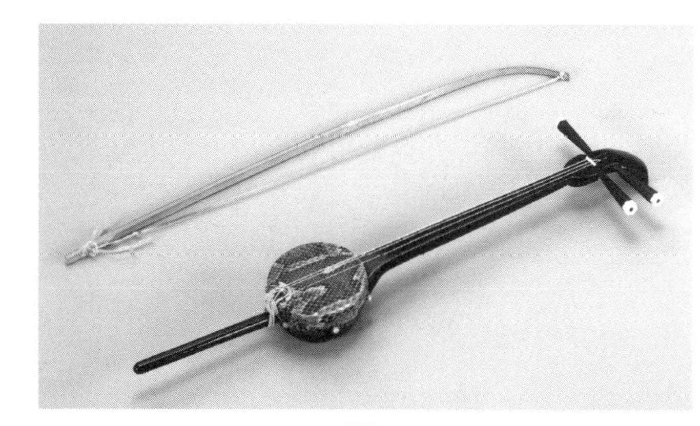

胡弓

❒ 細棹三味線（長唄三味線）

●用途

長唄等。

●演奏形態

三味線の種類の中で最も棹の部分が細い細棹三味線は、一般的に高い軽妙な音が出ます。歌舞伎の伴奏音楽として発達した「長唄」、江戸生まれの「河東節」、上方（京都・大阪）生まれの「地歌」の一部、または江戸時代の流行り唄「端唄」「小唄」の演奏等、様々なジャンルに用いられます。

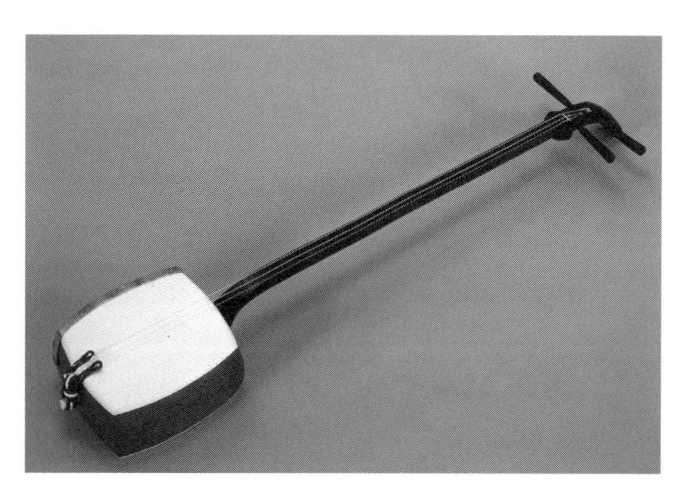

【細棹】長唄三味線

●概要

長唄は、義太夫節等、語りを中心とした「語り物」とは異なり、唄を中心とした「**歌い物**」です。

演奏は基本的に複数人の唄と三味線で成り立っていますが、曲目によっては小鼓、大鼓、太鼓、笛等で構成される「お囃子」が付くこともあり、通常の三味線パートの他に「上調子」と呼ばれる三味線パートを持つ曲も存在します。

楽器の特徴は全体的に小ぶりで棹が最も細く、軽く乾いたような透明な音色がします。学校教材用や三味線入門用楽器としても多く使用されており、趣味として始められる方にオススメの三味線です。

３本の糸を撥で弾きます。糸の振動が太鼓のような構造の胴に共鳴して、よく響く音が出ます。江戸時代から舞台音楽や民族芸能を盛りあげ、庶民に親しまれてきました。

❒ 中棹三味線（民謡三味線・地唄三味線・小唄三味線）

●用途

民謡の伴奏（民謡三味線）や、琴との合奏用（地唄三味線）の三味線。

●演奏形態

江戸時代に上方（京都・大阪）で生まれた室内音楽・地歌や、歌舞伎の伴奏音楽を演奏するために発足した常磐津、清本に中棹三味線が使われます。

【中棹】地歌三味線

●概要

民謡三味線は民謡の伴奏として使われます。民謡とは、特定の国や地域において、主に口承によって伝わってきた伝統的な歌唱曲のことです。民族音楽の一種で、民謡の中には童歌（わらべうた）や子守唄等、子供向けのものも多くあります。

楽器の特徴は、東サワリ付で音色の響きが美しく、短棹（短い棹）が主流です。地唄三味線は琴や尺八、胡弓との合奏用に改良された三味線です。地唄は、江戸時代には上方を中心とした西日本で広まった三味線音楽です。響きと艶のある音色で、音量調節はあまりできませんが、「弾く」と「唄う」の調和が最もとりやすい三味線です。

小唄三味線は撥を用いず「**爪弾き**」で演奏します。小唄（こうた）は端唄から派生した俗謡です。一般には江戸小唄とされる端唄の略称ですが、略称として定着したのは明治・大正時代です。他に、**現代小唄・清元小唄・常磐津小唄・義太夫小唄（豊本節）・新内小唄**等があります。曲は軽快で早いテンポで唄われます。また、細棹三味線に比べ棹はやや太く胴も重く作られています。しっとりと落着いた艶やかな音色です。

❒ 太棹三味線（義太夫・津軽三味線等）

●用途

民謡の伴奏・津軽三味線・浪曲。

●演奏形態

文楽の劇音楽である義太夫節の三味線や、青森の民謡等に使われる津軽三味線が太棹に分類されます。

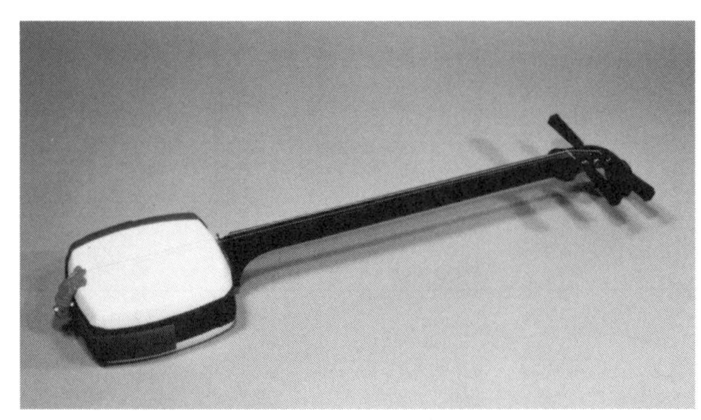

【太棹】津軽三味線

●概要

上妻宏光や吉田兄弟が演奏しているのがこの津軽三味線で、全国的に最も人気のある三味線です。特徴として、棹が太く全体的に大きい、深く重みのある音色、かなりの大音量を奏することができるので、迫力のある演奏が可能です。津軽三味線は、曲弾きや唄の伴奏もできます。

ポップス的な演奏を試みたい方は津軽三味線を選ぶと良いでしょう。屋外での演奏で最も映えます。「弾く」というよりも撥で「**叩く**」というイメージです。

胴は厚く重く作られ、厚い皮が張られています。力強く、迫力のある音色です。

❐エレクトリック三味線

●近代的な三味線

エレクトリック三味線は、表皮裏面に三味線専用の振動ピックアップマイクを内蔵しており和楽器はもちろん、あらゆる楽器との合奏でも自然なサワリと余韻を表現できます。エフェクターにつなげて音色を自由に変えることもできますが、表皮に犬皮を使用しており通常の三味線として生音でも使用できます。

●プリアンプ内臓

三味線の生音を忠実に増幅するために周波数帯を調整したプリアンプを胴内部に内蔵し、細棹・中棹・太棹（津軽）それぞれの音色に応じて調整しています。

●音量・音質のコントロール

ボリュームコントロールで「ベースコントロール」「トレブルコントロール」の音質を調整できます。アンプに電源を供給する 9V 乾電池が収納されており、シールドの抜き差しで自動的に電源の ON/OFF が切り替わります。バンド演奏等、他楽器とのセッションに適しており、ギターのようにストラップを掛けるためのロックピンを取り付けることもできます。

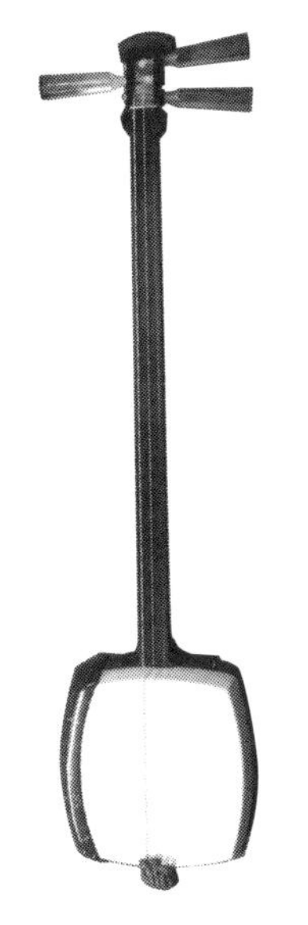

エレクトリック三味線（夢絃 21）
表／全体

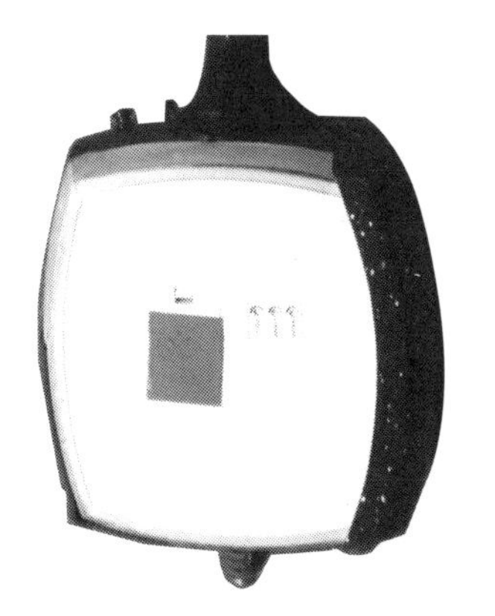

エレクトリック三味線（夢絃 21）
裏／胴皮

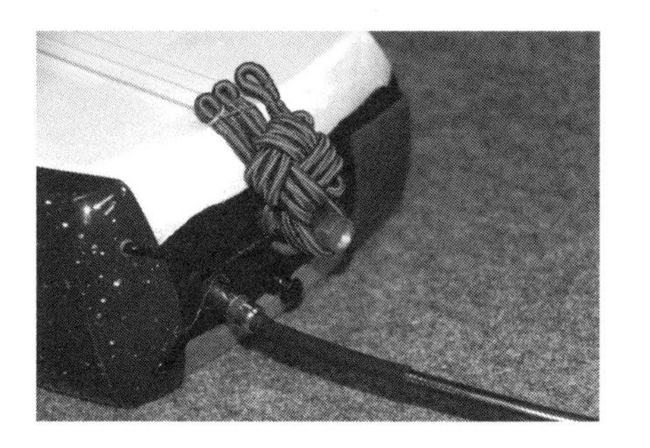

シールド・ジャック使用時

三味線の各部の名称

❐ 三味線の構造、各部の名称

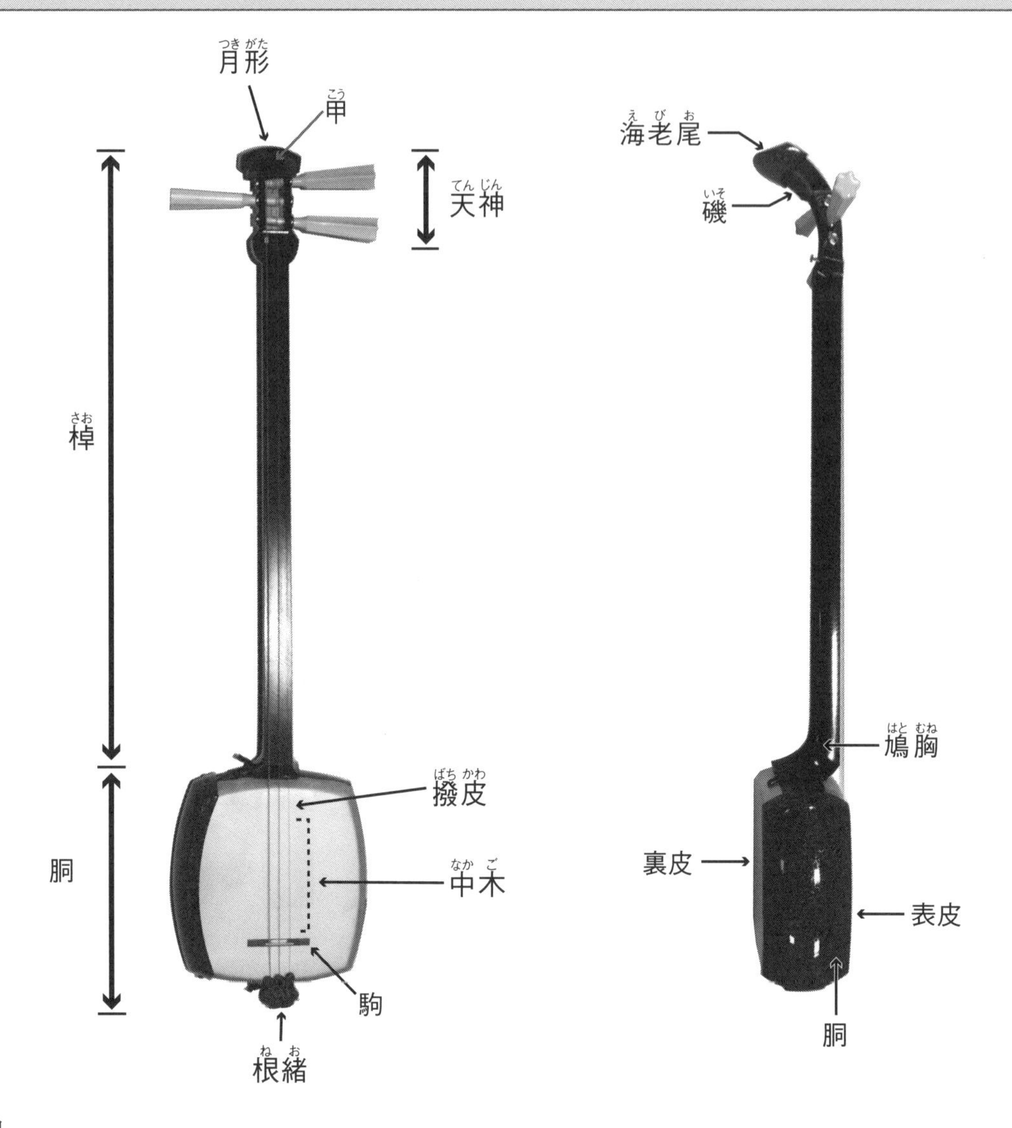

●天神

糸巻きを差し込んでいる部分全体を指します。

●棹

三味線の胴から上の糸を張った長い部分です。棹の太さによって、太棹・中棹・細棹といった三味線の種類が分かれます。

●胴

4 枚の板を貼り合わせ、上・下面に皮を貼って作られている部分です。糸を弾くと、胴の内部で共鳴して良い音が出ます。

●駒

糸と胴の間に挟むもので、糸の振動を胴に伝える役割があります。駒は音色を決めるポイントです。

●糸

３本の糸は、胴から天神に向けて張られています。一番太い糸が「一の糸」で、一番細い糸が「三の糸」です。

❒天神

天神は三味線の先頭から乳袋の付け根までを指し、主に「**音程や音の伸びに関係する部分**」をいいます。天神の素材は、紅木や紫檀等、硬質で重圧な木材を使用します（練習用には樫や花梨もあります）。材質は固いほど明るいイメージの音色になり、より共鳴感が増し余韻が長くなります。

これらを表現するためには、確かな職人技術が必要になります。天神は木の塊から作られているので、割れたり欠けたりしやすい部分です。特に「サワリ」や「上駒」に傷がつくと音色に影響するので、取り扱いには十分注意しましょう。

●天神の各部の名称

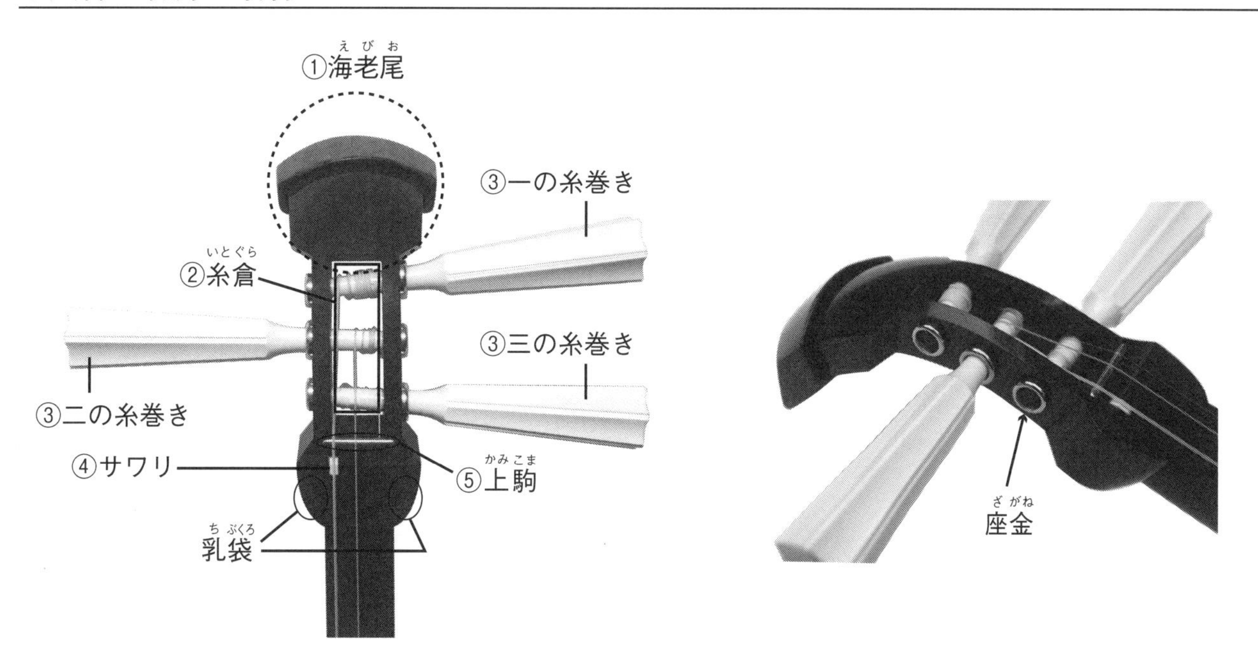

①**海老尾**（えびお）………… 海老尾には特徴的な細工がみられ、職人の個性が活かされます。

②**糸倉**（いとぐら）…………… 糸巻きに糸を巻き付けるために、天神をくり抜いた部分です。

③**糸巻き**………… それぞれ糸を巻付けて音程を合わせるものです。

④**サワリ**………… サワリとは、弦を鳴らしたときに「ビーン」と響く三味線独特のエコーのようなものです。倍音成分を増やして音色に広がりを与えます。

⑤**上駒**（かみこま）…………… 真鍮・銀・金等の素材でできており、上駒を通すことで二の糸と三の糸を持ちあげて指板から離し、音の伸びを良くしています。

⑥**座金**（ざがね）…………… 糸巻きを差し込む部分に座金を使用します。天神の摩耗を防ぐとともに、糸巻きをしっかりと固定し音程を安定させるために素材は銅を多く使用しますが、銀製や金製を使用することもあります。

❐ 延棹と継ぎ棹

「**延棹**」とは、棹を「**一本の木で作った三味線**」のことです。「**継ぎ棹**」とは、棹を「**二つ、または三つ以上に分解できる三味線**」のことです。現在は、棹を上下三つに分解できる「継ぎ棹」の三つ折三味線が主流となっています。

「継ぎ棹」の三味線はコンパクトに収納できるので、飛行機やその他の乗り物に搭乗する際等、手荷物として持込める利点があります。しかし、継ぎ手部分には非常に細かく正確な細工を施す技術や、棹の反りを防ぐための素材選びに関する知識が必要であり、専門的で高度な技術が求められます。そのようなことが理由で、三味線は現在も職人の手による「**オーダーメイド**」が中心になっています。

❐ 継ぎ手

継ぎ手とは三味線を分解した際、各棹の端に組木のような細工が施してある部分です。繋ぎ手の細工には「**平継ぎ**（ひらつぎ）」と「**溝継ぎ**（みぞつぎ）」があり、一般にはこれら一本溝が使われますが、高級品には二本溝や段違い溝等、手の込んだものも見られます。演奏時にガタつかないことはもちろん、継ぎ目の面を触っても判らないくらい緻密に組合わせられ、外す際には少しずつしか動かないように仕上げられています。

継ぎ手の破損は殆どの場合修理が必要になることから、三味線を分解する際は直ぐに仮継ぎ（※ 1）をはめる習慣をつけましょう。

●三つ折三味線の分解方法

① 糸を緩めて根緒を外します。
② 糸巻きに糸を巻き付けます。
③ 棹と胴を三つに分解します。
④ 繋ぎ目に「相木」をはめて保護します。
⑤ それぞれ三つ折袋に入れます（P.25 参照）。
⑥「三つ折鞄」へ収納します（P.24 参照）。

①糸を緩めて根緒を外す

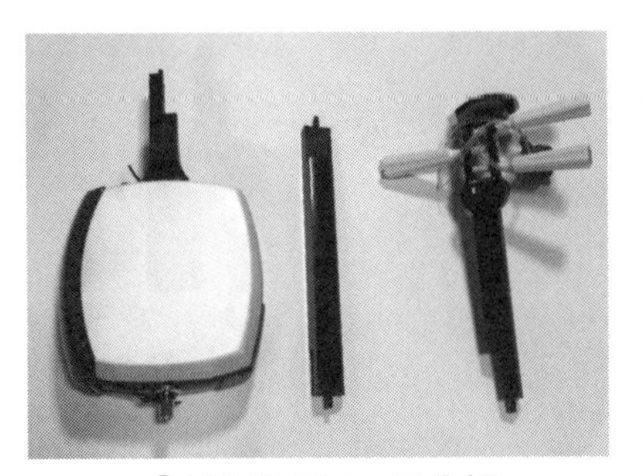
③棹と胴を三つに分解

④繋ぎ目に「相木」をはめて保護

※ 1　三味線を分解した際、継ぎ手を保護するためにはめる仮の継ぎのこと。三味線の継ぎ手の形に合わせて手作りするため、通常同じものはない。

❒ 各部位のメンテナンスについて

●皮

三味線を使い続けると皮が伸びてしまい、表裏の皮や弦・駒等が共鳴しづらくなってきます。使う頻度にもよりますが「**1年〜5年**」が交換の目安です。また、湿度の変化や保管状況、皮の張り方次第で皮が裂けてしまうトラブルも多くみられます。音色を含めて自分に合った張り方の依頼をすることが大切です。

●棹（面（つら））

棹は消耗品です。繰返し演奏することで棹の表面の面（つら）部分が糸と擦れて傷になることがあります。傷が深くなると音程が狂ったり、三味線らしい伸びのある音色を出せなくなるトラブルが起こります。舞台用と練習用の三味線を区別することが望ましいでしょう。

●糸巻き

糸巻きは消耗品です。減った場合は調整が必要ですが、通常数年間はもちます。糸巻きが緩み、調弦しづらくなったら取り換える目安です。

●糸

糸は消耗品です。糸が切れたときはもちろん、音が響かなくなったときは交換しましょう。「一の糸」は一日一時間練習した場合に、「**約2ヶ月**」もつといわれています。また、繊細な音色を求め「三の糸」に絹を選ぶ場合がありますが、切れやすい特徴をもっています。

●撥

素材に関わらず、使い続けることで撥先が擦り減ってきます。撥が擦り減ると糸や撥皮とのあたり具合やしなり具合に変化が生じ、音色が変わってしまうのでメンテナンスが必要です。

素材によってメンテナンスも異なり、プラスチックと木は割れた場合、通常、交換が必要です。鼈甲（べっこう）は、程度により付け足しが可能です。長い期間使用しない場合は、虫食い防止のため防虫剤を使用すると安心です。

●駒

割れたり溝が深くなったりした場合は、交換しましょう。

❒ 三味線の修理、調整について

三味線の素材が木や皮であることから、擦れて摩耗することは避けられませんが、ひとつの特徴として「**ほぼ全ての部位が分解できる**」ので、修理や再調整できる利点があります。しかし、再調整をする場合は木材を削ることもあるので、何度も繰返し調整を行うと音色や演奏感が変化することもあります。プロの演奏家は演奏時間が長いため楽器の消耗が激しくなり、修理や再調整が前提となります。三味線を丁寧に扱い消耗部分のお手入れをしっかり行うことは、良いコンディションで演奏し続けるための大きなポイントです。

❒ 三味線の購入について

特定流派・会派へ弟子入りする場合は、師匠と同じ種類の三味線を選ぶことが望ましいでしょう。上記以外は厳密な三味線の定義に従う必要はありませんが、演奏するジャンルが大きな手掛かりになります。三味線の種類（P.13〜17）」や「棹の種類（P.102〜103）」を参考に、師匠はもちろん、三味線に詳しい知人、または三味線専門店等（三味線に詳しい和楽器店）へ相談されることをお勧めします。

第一章　準備編　その六

三味線の付属品について

ここで紹介する付属品は、三味線購入時に付いてくるものも含まれています。使っていて古くなったり、うまく機能しなくなったら交換しましょう。

①胴掛け

演奏時に右腕がのる胴の部分にかける布製または、皮製の覆いです。花梨棹なら無地でも構いませんが、紅木棹にはお洒落な胴掛けを使用するとイメージも大きく変わります。肌の弱い人は漆でかぶれることがあるので購入の際は注意しましょう。

胴掛け

②撥皮シール

撥があたる部分の皮を保護するシールです。こまめに張り替えないと皮面に密着して剥がしづらくなるので、定期的に張り替えましょう。

撥皮シール

③胴張りゴム

三味線が太ももから滑らないように安定させるもので、通常、三味線を購入した際に、貼ってあります。

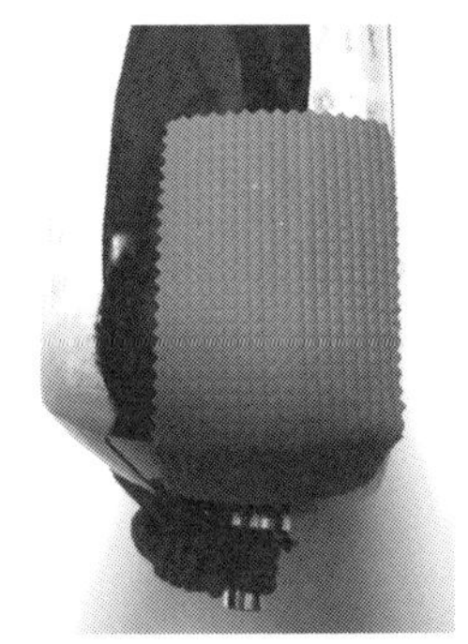

胴張りゴム

④指すり（指掛け）

左手の親指と人差し指の股につけて勘所の移動を滑らかにする道具です。昔は着物のたもとで滑らせていました。小・中・大・津軽・津軽特大等、サイズや色が豊富なので指にあうものを選びましょう。

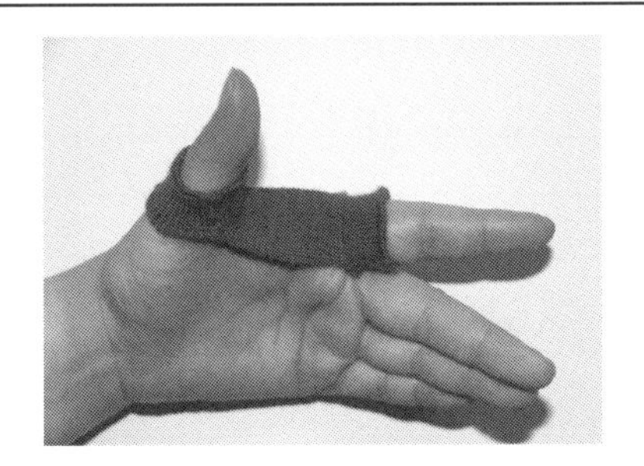

指すり（指掛け）を付けた状態

⑤天神キャップ

天神は先が欠けやすいので天神部分を保護するためのキャップです。演奏をする際は天神キャップを外します。サイズが合わないと紛失しやすいので、購入の際には必ずサイズの確認をしましょう。

キャップを付けた状態

⑥譜尺シール

初心者に必需品の勘所のポジションシールです。

譜尺シールを貼った状態

⑦根緒（音緒）

胴と糸を結び付けているもので一本の紐で組まれています。根緒は新しい物と古い物では音色に差が出てきます。根緒が伸びてやわらかくなってきたら交換しましょう。

根緒

⑧撥滑り止めゴム

演奏中に汗等で撥がうまく握れないときや、小指の付け根が撥角に当たって痛いとき等に使用するゴム製の撥用滑り止めです。

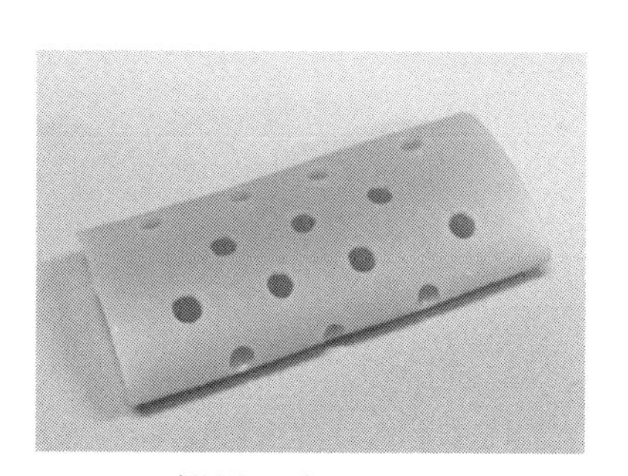

撥滑り止めゴム

⑨調子笛

低音用（A）と高音用（E）の２種類があり、高音用は「**三の糸**」の高さに、低音用は「**一の糸**」の高さに合わせて調律すればどちらも使用できます。三味線の場合は、低音用を使用することが多いです。笛を使って耳で音を合わせるので、楽器経験のある人や音感の良い人向きです。三味線やお琴等、様々な楽器に使用できます。

調子笛

⑩三味線ケース

三味線ケースには、三味線を組み立てたまま収納できる「**長箱**」と、三つ折三味線を分解して入れる「**三つ折鞄**」があります。分解せずに収納できる「長箱」は、演奏や練習の合間に安心して収納できます。また、コンパクトに持ち運べて飛行機の手荷物にできる「三つ折鞄」も便利です。用途に合わせて選びましょう。

長箱

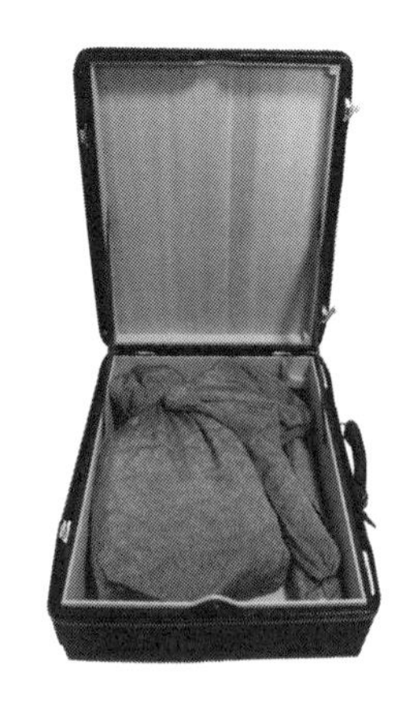

三つ折鞄

⑪膝ゴム

藤・黄・水色・黒・若草・青・オレンジ・ピンク等、様々な色が有ります。膝の上に敷いて胴の滑りを防ぎます。

膝ゴム

⑫艶ふきん

三味線についた脂や汗のふき取りに使用します。天然素材のセリートと、シリコーンを浸透させたシリコーンクロス、厚手の関西製のものもあります。

艶ふきん

⑬胴袋（和紙）

不織布で作られた紐付き和紙袋や、丈夫で長持ちする繊維紙、従来の和紙よりも丈夫な渋引和紙、上質で柔らかいもみ和紙等があります。本物の和紙は調湿機能があり胴皮の保護に役立ちます。

胴袋

⑭長袋

長袋は湿度や温度の変化・衝撃等から三味線を守ります。沢山の綺麗な柄が売られていますが、オリジナルで作製する人もいます。和紙に入れてから長袋へしまいます。三味線の種類によって長袋の大きさが違うので、購入の際は注意しましょう。

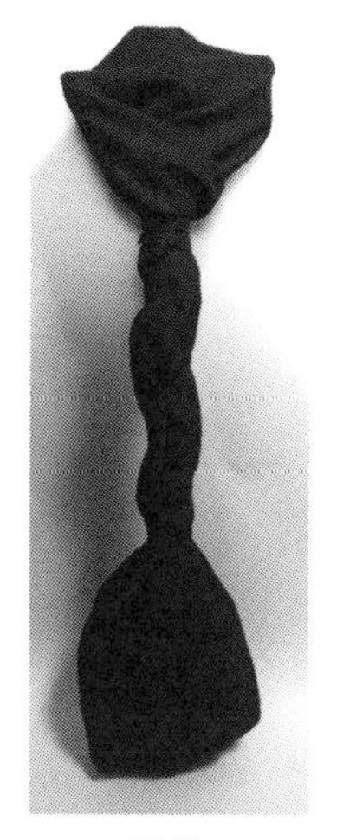
長袋

⑮三つ折袋

三味線を三つに分解してしまう場合は、必ずそれぞれの三つ折袋が必要になります。美しく上品な柄が多いので、三味線の衣装のようにお洒落を楽しみましょう。

三つ折袋

⑯板状乾燥剤（湿度調整板）

三味線の皮面と糸の間に置いて使用します。皮が破れるのを防ぎます。昔から使用されている桐製の半永久的に使用できるタイプもあります。

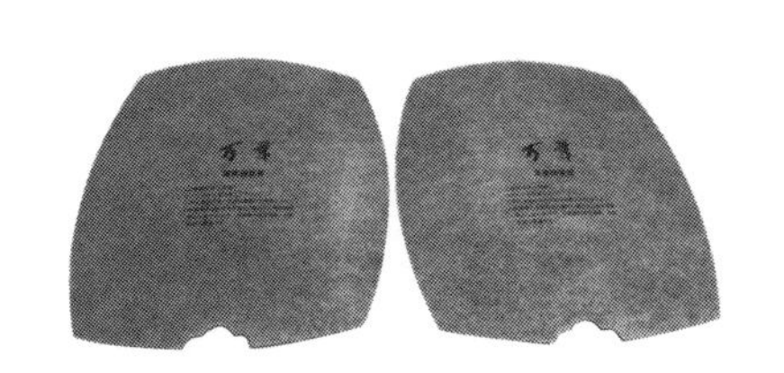
乾燥剤

⑰駒入れ

三味線駒を入れるケースです。水牛の角・骨・象牙・鼈甲・紅木・紫檀・竹・黄楊・桑・プラスチック素材等の三味線駒を、湿気による歪みから守ります。

駒入れ

⑱撥用ケース

撥はとても薄く作られており、衝撃を与えることは禁物です。三味線本体と同様に湿度の影響も受けやすいので、撥を保護するための撥用ケースを用意しましょう。帯やベルト部分に差し込むだけで簡単に装着できるホルダータイプもあります。

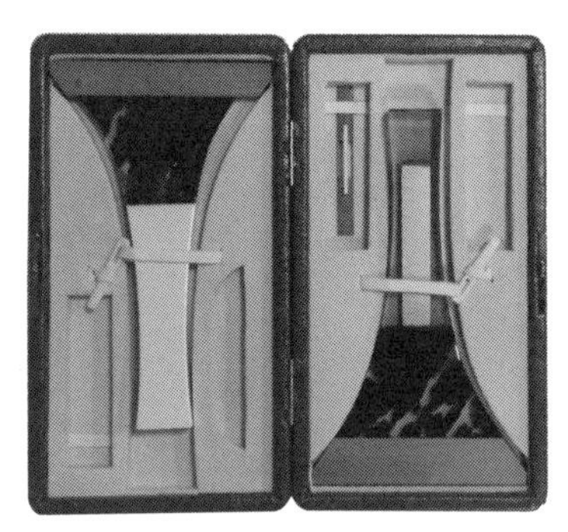

撥用ケース

撥入れ

⑲楽譜入れ

正絹製や錦製に金糸で様々な柄が施されている大変豪華なものもあります。透明のビニールケース付きのものやマチ付き等、デザインはもちろん、柄も豊富です。

楽譜入れ

⑳三味線スタンド

３本足または、４本足のスタンドがあります。３本足は小さくて軽量なので携帯に便利です。

４本足は、多少の衝撃では倒れにくい安定感があります。

三味線スタンド

column　良い棹を見極める方法

棹が抜けないように三味線を横水平に置き、振動が伝わるぐらい軽めに棹の根本付近を握り、反対の手で棹を下からコンコンとノックしてみます。このときの「**振動の長さ（余韻）が残るもの**」が良い棹といわれています。

□ 第二章 基本編

楽譜の知識や構え方

第二章　基本編　その一

邦楽譜の知識

❒ 三本の弦を三味線譜として用いる「文化譜」

三味線の楽譜には、いくつかの種類があります。それらに共通していることは「0123456789」の算用数字（またはアラビア数字）が用いられていることです。

文化譜は杵屋弥七（明治23年～昭和17年）が考案したものです。長唄普及のため三味線女塾を創設し、個人稽古が主流でしたが、考案した文化譜を利用しグループレッスンに切り替えたことで多くの師範を排出しました。

今日広く普及している邦楽譜には、「**文化譜**（横譜）」と「**研譜**（縦譜）」があります。文化譜は三味線の3本の弦をそのまま三味線譜として用いています。勘所とよばれるポジションを正確に押さえることにより、正しい音程で演奏することができます。また、文化譜には文化譜独自のリズムや奏法を表す記号が有ります。文化譜の知識について深めていきましょう。

❒ 五線譜に慣れていると読みやすい「研精会譜」

研精会譜（縦書き）は吉住小十郎によって考案されたため、「小十郎譜」とも呼ばれます。邦楽の五線譜で示される「ドレミファソラシ」が「1234567」の算用数字に置き換えられており、♯（シャープ）や♭（フラット）の半音記号も使われます。「**·7**、**1**、**♯1**、**2**、**♯2**、**3**、**4**、**♯4**、**5**、**♯5**、**6**、**♭7**」のように五線譜と同じ全12音階です。1オクターブ上の音には、数字の右に「・」を一つ付けます。2オクターブ上の音には数字の右に「・・」と点を二つ付けます。1オクターブ低い場合は「·7」と左に点を付けます。また、必要に応じて「一の糸」、「二の糸」、「三の糸」をローマ数字で「I、II、III」と表します。さらに、文化譜のように研精会独自のリズムや奏法を表す記号もあります。

❒ 家庭式譜（地歌譜）

地歌三味線（※1）の記譜に使用される文化譜と同じポジションの縦書きの譜面です。各弦の各開放弦が「イ一」「一」「1」のように表記法が違うので、弦の把握がしやすく五線譜に記入する場合に理解しやすい譜です。

さくら 五五10
さくら 五五10
やよいの 五121
そらアは 五1五二0

家庭式譜 ➡

❒ 弥之介譜

杵屋弥之助師考案の譜で、青柳譜とも呼ばれます。ほぼ小十郎譜と同じですが、三味線の糸をそのまま縦の三本線として数字を線上に記しています。

※1　箏と一緒にお稽古される三味線のジャンル。

❒ 三味線楽譜における拍子、音符と休符

三味線の楽譜は基本的に四分の二拍子ですが、多ジャンルの演奏がなされる昨今はこの限りではありません。三味線には、表間（おもてま）と裏間（うらま）という表現があり、2拍子の1小節は普通、表間と裏間に分かれます。

呼称	五線譜	拍数	文化譜	呼称
全音符				全拍子
付点２分音符				付点倍拍子
２分音符				倍拍子
二拍３連符	3		3	二拍三連符
付点４分音符				付点一拍子
４分音符				一拍子
一拍３連符	3		3	一拍三連符
付点８分音符				付点半拍子
８分音符				半拍子
半拍３連符	3		3	半拍三連符
付点 16 分音符				付点四半拍子
16 分音符				四半拍子
全休符				全休止
付点２分休符			(ンヨーイ)	付点倍休止符
２分休符			(ヨーイ)	倍休止符
付点４分休符				付点一拍子休止符
４分休符			(イヤ・ヨイ) (ハ・ソレ)	一拍子休止符
付点８分休符				付点半休止符
８分休符			(ン・ヤ)	半休止符
付点 16 分休符				付点四半休止符
16 分休符				四半休止符

邦楽は演奏者間で息を合わすために「かけ声（※2）」を出します。民謡や長唄では「かけ声」が唄の一部になっている曲も多く、楽曲により「かけ声」を担当する楽器が決まっている場合もあります。

※2　基本的に休符を示す。間の手・合いの手・ハヤシと呼ばれることもある。表の（　）内もハヤシです。

❐ 三味線の「手」

左手の動きや撥の動きを「手」といいます。次の表は、楽譜に表記される記号と意味です。一気に覚える必要は無く、楽譜を見てわからない記号は、このページで確認してください。

手		説　明	表記記号
打つ	撥	撥で糸を上から叩く技法	特に記述しない
スクイ	撥	撥で糸をスクイあげる技法、反動で弾く	ス・V
おとし撥	撥	撥を上の糸から下の糸へ押し付けるように弾く技法	オトシ・オシ
コカシ撥	撥	二本の糸を撥で連続的に滑らせて弾く技法	コカシバチ
ケ	指	糸の音を指でミュート（消す）する技法	ケ
ハジキ	左手	撥ではなく指で糸をはじく技法	ハ・∩
すりあげ	左手	低音のツボを押さえたまま高音のツボへ移動する技法	スリ・⌒
すりさげ	左手	高音のツボを押さえたまま低音のツボへ移動する	スリ・⌒
うち指	左手	撥ではなく指でツボを打って音を鳴らす技法	ウ・( )

※ツボとは勘所のこと。(　) は短い音を示す。

● その他、家庭式譜の奏法記号

・∧	人差指でハジク
；∧	薬指でハジク
ス	スクイ
ニ	中指で押さえる

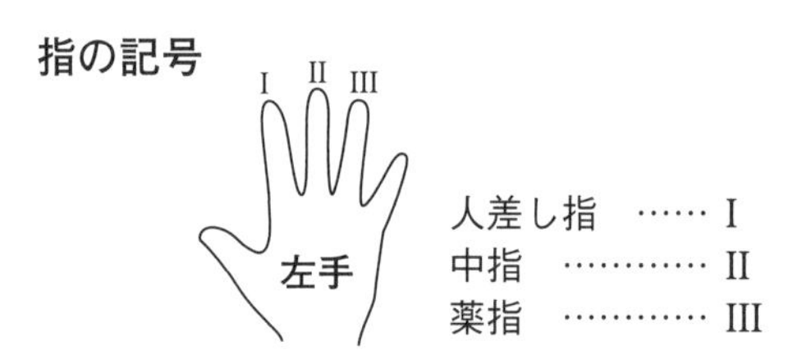

column 平家琵琶を集大成したのは誰？

荻野検校（1731 ～ 1801 年）は、平曲・箏曲を専門とする盲人音楽家です。幼児期に失明し鍼治療を学んでいましたが、宝暦３年（1753 年）に京都へ出て平曲を学びました。その後、平曲家としての名声を得て宮中や貴族の邸への出入りもありました。明和７年（1770 年）に名古屋の訪問がきっかけで尾州侯に招かれ、安永５年（1776 年）には尾張藩後援のもと『平家正節（へいけしょうせつ・へいけまぶし)』を編纂し、従来の楽譜の不備を正した平家琵琶の譜本を完成させました。

❐ 口三味線

日本の楽器は、「**唱歌**（しょうが）」という方法で音楽の伝承をしてきました。「唱歌」とは、雅楽・箏曲・三味線音楽の練習や暗譜に多く用いられる用語で、三味線の音を言葉で表現したものです。

● 単音の口三味線

弦		奏法		𝅗𝅥	♩	♪
三の糸	放した音（開放弦）	撥打ち		テーン	テン	テ
		スクイ、ハジキ		レーン	レン	レ
	押さえた音	撥打ち		チーン	チン	チ
		スクイ、ハジキ		リーン	リン	リ
二・一の糸	放した音（開放弦）	撥打ち	二の糸	テーン	テン	テ
				トーン	トン	ト
			一の糸	ドーン	ドン	ド
		スクイ、ハジキ		ローン	ロン	ロ
	押さえた音	撥打ち		ツーン	ツン（ズン）	ツ
		スクイ、ハジキ		ルーン	ルン	ル

● 重音の口三味線

弦	奏法	口三味線
三・二の糸	放した音（開放弦）	シャン
	押さえた音	チャン
三・二・一の糸	放した音（開放弦）	ジャン
	押さえた音	
三・二・一の糸	スクイ・ハジキを伴う	リャン

※上記口三味線は一例で、この限りではありません。

第二章　基本編　その二

様々な調弦の方法

❒ 調子、調弦について

各糸の音を合わせることを「**調弦**」と言います。三味線における調弦は、曲調に合わせ「本調子」、「二上り」、「三下がり」、「六下り」、「水調子」等、五種類の調弦方法があり、代表的な調弦は「**本調子**」「**二上り**」「**三下がり**」の三種類になります。

どの調子を選ぶかは、運指の都合により決めます。三味線では、できるだけ「**開放弦の音**」を基に弾きやすさを考慮して調や調子を選びます。

❒ 和洋音名表

三味線の調弦（チューニング）は、唄や曲調に合わせて基準となる音程を決めるので、基音（※ 1）と調弦方法（※ 2）の確認が必要です。洋楽の音階には日本音名（いろは…）の他、伊（イタリア）・独（ドイツ）・英（イギリス）・米（アメリカ）音名等がありますが、邦楽である三味線にも和音名があります。唄の演奏をするときは基準音の和音名、または本数で「**○○の曲は一本**」、「**○○の曲は四本**」のように伝えます。

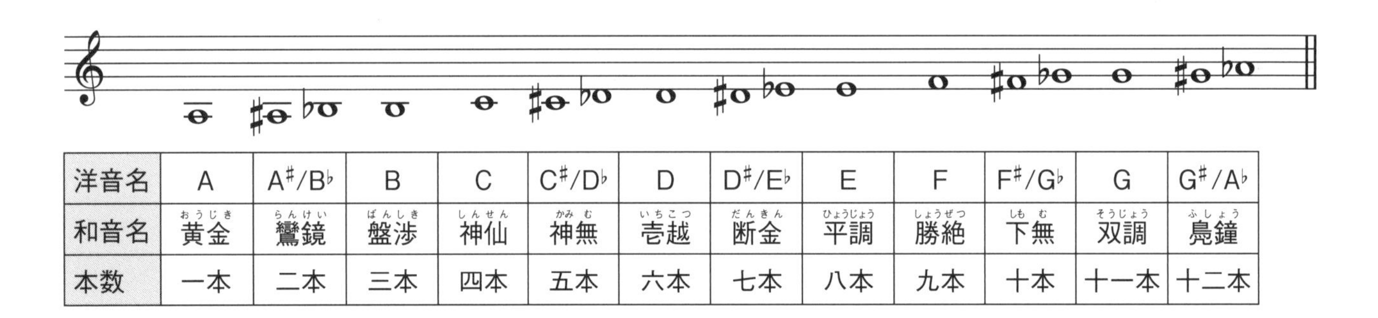

洋音名	A	A♯/B♭	B	C	C♯/D♭	D	D♯/E♭	E	F	F♯/G♭	G	G♯/A♭
和音名	黄金（おうじき）	鸞鏡（らんけい）	盤渉（ばんしき）	神仙（しんせん）	神無（かみむ）	壱越（いちこつ）	断金（だんきん）	平調（ひょうじょう）	勝絶（しょうぜつ）	下無（しもむ）	双調（そうじょう）	鳧鐘（ふしょう）
本数	一本	二本	三本	四本	五本	六本	七本	八本	九本	十本	十一本	十二本

❒ チューナーによるチューニング

三味線は箏や尺八とのセッションをすることがあるので、調律は440Hzよりも「**442Hz～443Hz**」の周波数が好まれます。チューナーによるチューニングは、鳴らした音に対してメモリの針が洋音名をさして音程を示すものや、鳴らした音程が洋音名で表示されるものもあります。大きさやデザインも色々あり、音程の確認がしやすく初心者でも安心して調律できます。別売りのチューナーマイクを接続すれば振動で音を拾うため、周囲の雑音に影響されず正確に調弦することができます。調律に慣れてきたら調子笛にも挑戦してみましょう。

※1　基準となる音。一の糸の最低音。

※2　本調子・二上り・三下り等。

❐ 三味線の調弦法

●本調子（ほんちょうし）

※ここでは基準音を三本（盤渉、ロ長調）を例にあげて調弦しますが、基準音は唄の高低や楽曲により変化します。

「本調子」が基本の調弦になります。

多くの楽曲で使用される調子で、他の調に合わせるときも先ず本調子に合わせます。調弦の基本になるものです。

1.「一の糸」を基準となる音に合わせます（開放）。
2.「一の糸」の4の勘所を押えた音に「二の糸」を合わせます。
3.「二の糸」の6の勘所を押えた音に「三の糸」を合わせます。
4.「一の糸」と「三の糸」がオクターブ音であるか確認します。

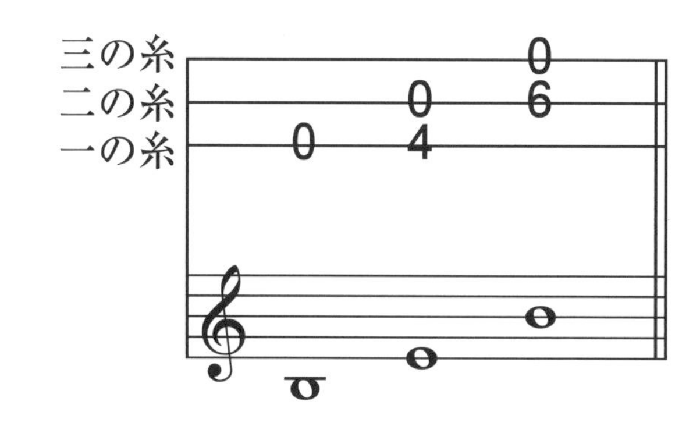

●二上り

二上りは、「**二の糸を本調子の音より一音上げた調弦法**」です。二上りも本調子と同じく多くの曲で使用されます。ポップス系の曲ではよく使われる調弦です。

1.「一の糸」を基準となる音に合わせます（開放）。
2.「一の糸」の6の勘所を押えた音に「二の糸」を合わせます。
3.「二の糸」の4の勘所を押えた音に「三の糸」を合わせます。
4.「一の糸」と「三の糸」がオクターブ音であるか確認します。

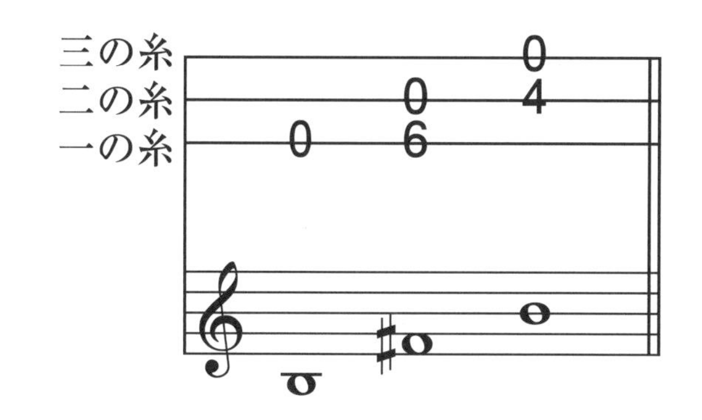

●三下がり

三下がりは、「本調子」に対して「**三の糸が一音下がっている調弦方法**」です。「本調子」と「二上り」と同じく多くの曲で使用されます。

1.「一の糸」を基準となる音に合わせます（開放弦）。
2.「一の糸」の4の勘所を押えた音に「二の糸」を合わせます。
3.「二の糸」の4の勘所を押えた音に「三の糸」を合わせます。

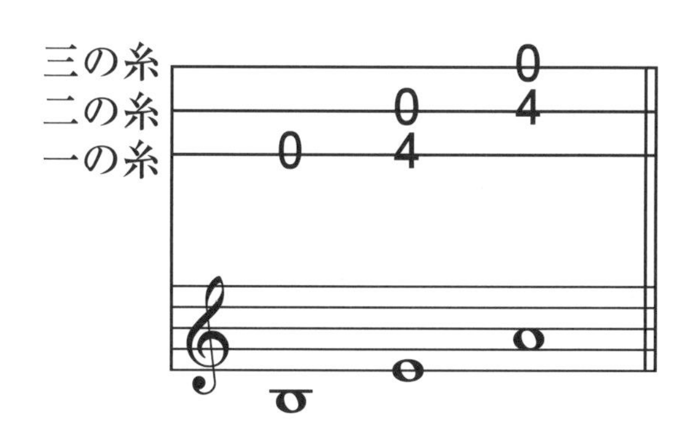

❐ 各キーに対応する調弦

「一の糸 ➡ 二の糸 ➡ 三の糸」のように調子を合わせます。最低音（基音）を一の糸に設定し、様々な曲の特徴に合わせて、「**よく使用する音を開放弦になるよう**」配慮し、演奏しやすい調子の種類を選びましょう。

調子笛	黄鐘1本：A	鸞鏡2本：B♭	盤渉3本：B	神仙4本：C	神無5本：D♭	壱越6本：D
調	イ長調 嬰へ短調	変ロ長調 ト短調	ロ長調 嬰ト短調	ハ長調 イ短調	嬰ハ長調 変ロ短調	二長調 ロ短調
調子記号						
本調子（I-IV-I）	A − D − A	B♭ − E♭ − B♭	B − E − B	C − F − C	D♭ − G♭ − D♭	D − G − D
二上り（I-V-I）	A − E − A	B♭ − F − B♭	B − F♯ − B	C − G − C	D♭ − A♭ − D♭	D − A − G
三下り（I-IV-VII）	A − D − G	B♭ − E♭ − A♭	B − E − A	C − F − B♭	D♭ − G♭ − B	D − G − C
六下り（I-IV-V）	A − D − E	B♭ − E♭ − F	B − E − F♯	C − F − G	D♭ − G♭ − A♭	D − G − A
水調子（V-I-V）	E − A − E	F♭ − B♭ − F	F♯ − B − F♯	G − C − G	A♭ − D♭ − A♭	A − D − A
調子笛	断金7本：E♭	平調8本：E	勝絶9本：F	下無10本：F♯	双調11本：G	鳧鐘12本：A♭
調	変ホ長調 ハ短調	ホ長調 嬰ハ短調	へ長調 二短調	嬰へ長調 嬰二短調	ト長調 ホ短調	変イ長調 へ短調
調子記号						
本調子（I-IV-I）	E♭ − A♭ − E♭	E − A − E	F − B♭ − F	F♯ − B − F♯	G − C − G	A♭ − D♭ − A
二上り（I-V-I）	E♭ − B♭ − E♭	E − B − E	F − C − F	F♯ − C♯ − F♯	G − D − G	A♭ − E♭♭ − A
三下り（I-IV-VII）	E♭ − A♭ − D♭	E − A − D	F − B♭ − E♭	F♯ − B − E	G − C − F	A♭ − D♭ − G♭
六下り（I-IV-V）	E♭ − A♭ − B♭	E − A − B	F − B♭ − C	F♯ − B − C♯	G − C − D	A♭ − D♭ − E♭
水調子（V-I-V）	B♭ − E♭ − B♭	B − E − B	C − F − C	C♯ − F♯ − C♯	D − G − D	E♭ − A♭ − E♭

※水調子は弦を緩く張り、調子を特に低くしたものです。

❐ 糸巻きの取り扱い

調律するときは、次の写真のように糸巻きを持って回しましょう。

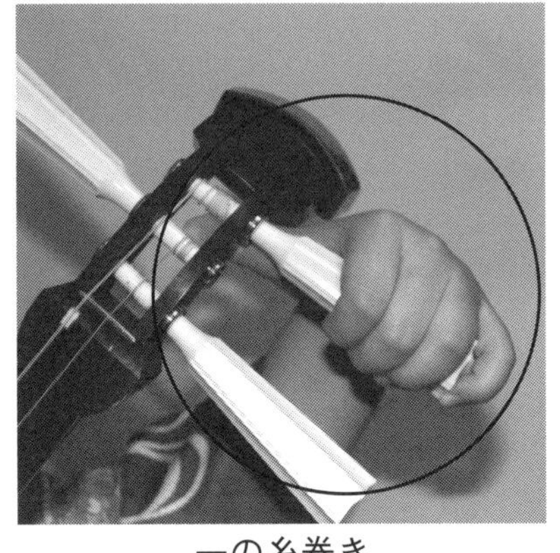

一の糸巻き

一と二の糸巻きの間の糸倉に親指を差し込み、一の糸の調律をします。

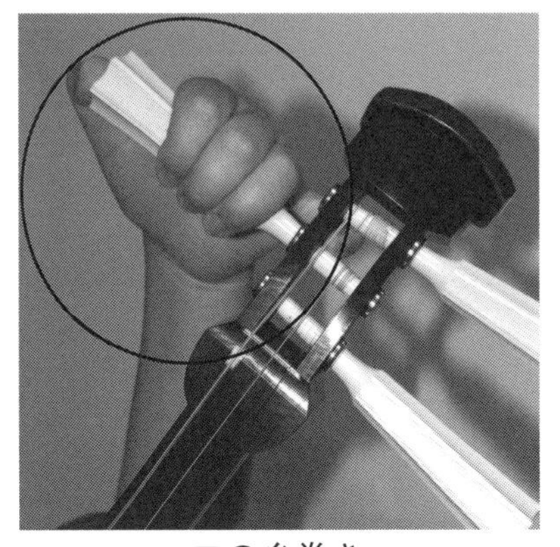

二の糸巻き

一と二の糸巻きの間の糸倉に小指を差し込み、二の糸の調律をします。

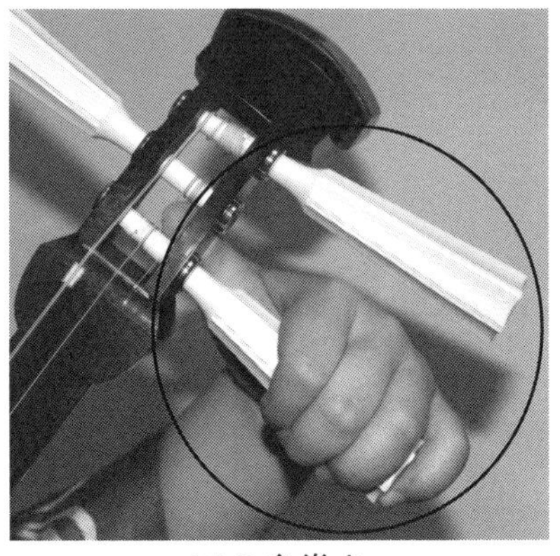

三の糸巻き

二と三の糸巻きの間の糸倉に親指を差し込み、三の糸の調律をします。

❒ 歌いものの調律

男性は 1 ～ 4 本、女性は 4 ～ 7 本、子供は 7 ～ 12 本で調律するのが一般的です。

1本=A	2本=A♯	3本=B	4本=C	5本=C♯	6本=D	7本=D♯	8本=E	9本=F	10本=F♯	11本=G	12本=G♯
男　性											
			女　性								
						子　供					

❒ 調子の仕組み

「各キーに対応する調弦」と「歌いものの調律」を確認後、実際に【神仙 4 本 C】を例にあげて、代表的な三つの調子の仕組みについて、五線譜上で確認してみましょう。

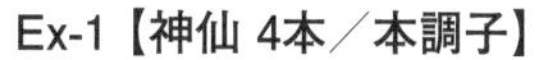
Ex-1【神仙 4本／本調子】

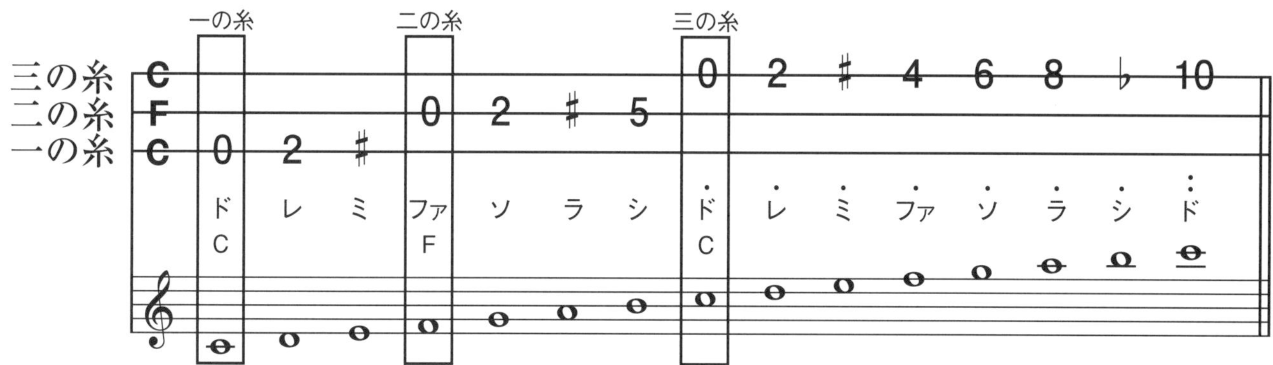

Ex-2【神仙 4本／二上り】

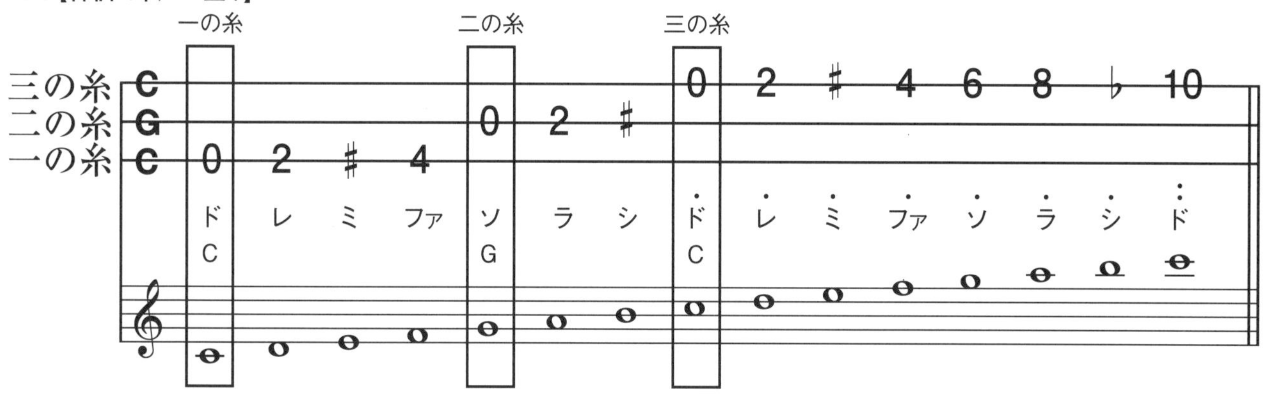

Ex-3【神仙 4本／三下り】

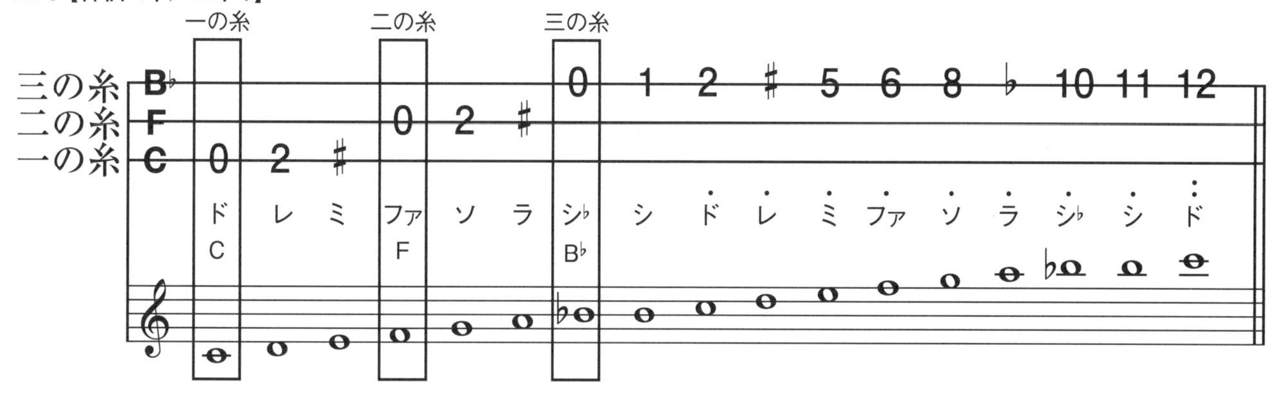

※文化譜の♯と♭は、勘所の一つです。

第二章　基本編　その三

勘所の見つけ方

❐ 勘所とは？

勘所とは、「**正しい音程の出る位置**」のことです。ギターには勘所を示すフレット（押さえる位置を示す突起）があり、比較的容易に正しい音程を押さえることができますが、三味線にはフレットがなく耳で音を判断するため、正しい音程で演奏できるようになることが第一目標になります。

❐ 勘所を探す方法

三味線の勘所は駒を置く位置で若干移動しますが、探す目安があります。糸を押さえていない状態の開放弦を⓪と考え、糸の中間位置にあたる⑩の音程は、⓪のオクターブ上の音になります。この「**⓪**」と「**⑩**」が基本になります。次に、乳袋のつけ根が①、上棹と中棹の繋ぎ手部分が④、①と④の中間が③、①と③の中間が②となっており、使用頻度が非常に多い勘所になります。

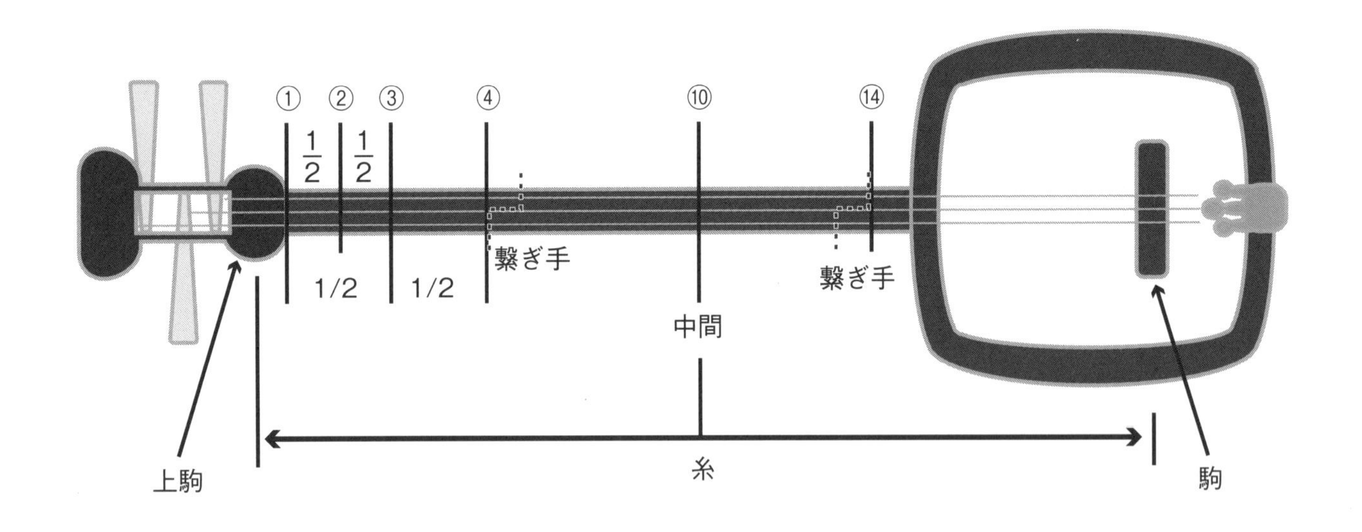

その他、上記表には記していない勘所を紹介します。

⑤…　**④を人差し指で押さえながら中指をおろした位置（半音）**
⑥…　**④を人差し指で押さえながら薬指をおろした位置（全音）**
⑦…　**⑥を人差し指で押さえながら中指をおろした位置（半音）**
⑧…　**⑥を人差し指で押さえながら薬指をおろした位置（全音）**

基本の⑩は各弦⓪のオクターブ上の音となり、中棹と胴の繋ぎ手になる⑭は各弦④のオクターブ上の音になります。初心者は、勘所の要領を掴めるまで勘所を数字で示した「**譜尺シール（横譜面用）**」を利用すると良いでしょう。演奏に慣れてきたら、譜尺シールに頼らず「**耳**」で音程を正しく判断できるよう練習をしましょう。

●譜尺シールの貼り方

譜尺シールの切取り部分①を「一の糸」側の側面、乳袋と棹の付け根の部分に貼り付けます。上棹と中棹の繋ぎ手部分に、譜尺シール④を合わせて貼るという方法もありますが、駒の置く位置や三味線の作りにより多少勘所がズレている場合があるので、①に合わせる方が良いでしょう。

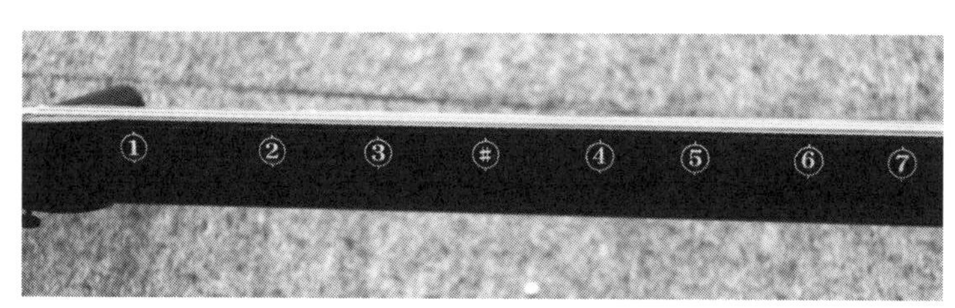

譜尺シールを貼った状態

❐ 調弦と譜尺シールの早見表

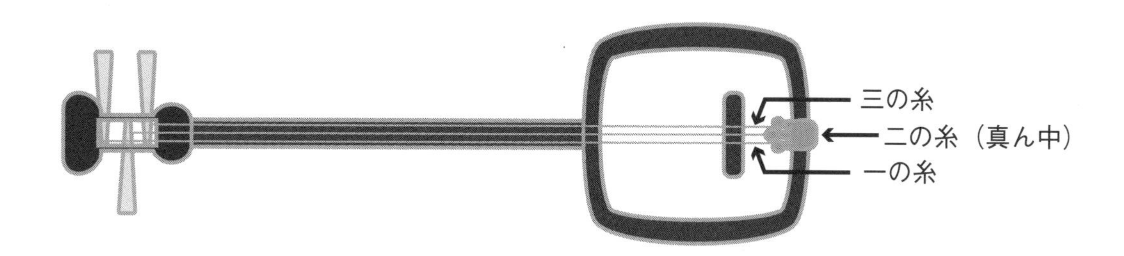

・本調子（C–F–C）　英音名 ※0は開放になります。

譜尺シール	0	1	2	3	♯	4	5	6	7	8	9	♭	10	11	12	13	1♯	14	15
三の糸	C	C♯	D	D♯	E	F	F♯	G	G♯	A	B♭	B	C	C♯	D	D♯	E	F	F♯
二の糸	F	F♯	G	G♯	A	B♭	B	C	C♯	D	D♯	E	F	F♯	G	G♯	A	B♭	B
一の糸	C	C♯	D	D♯	E	F	F♯	G	G♯	A	B♭	B	C	C♯	D	D♯	E	F	F♯

・本調子（C–F–C）　伊音名

譜尺シール	0	1	2	3	♯	4	5	6	7	8	9	♭	10	11	12	13	1♯	14	15
三の糸	ド	ド♯	レ	レ♯	ミ	ファ	ファ♯	ソ	ソ♯	ラ	シ♭	シ	ド	ド♯	レ	レ♯	ミ	ファ	ファ♯
二の糸	ファ	ファ♯	ソ	ソ♯	ラ	シ♭	シ	ド	ド♯	レ	レ♯	ミ	ファ	ファ♯	ソ	ソ♯	ラ	シ♭	シ
一の糸	ド	ド♯	レ	レ♯	ミ	ファ	ファ♯	ソ	ソ♯	ラ	シ♭	シ	ド	ド♯	レ	レ♯	ミ	ファ	ファ♯

第二章　基本編　その四

三味線の構え方

❐ 姿勢と構え方

「良い姿勢」は「良い演奏」に繋がります。「習い事は形から入る」と言われるように、三味線は座る姿勢が基礎となります。

1.「二の糸巻き」が耳たぶぐらいの位置になるように意識しましょう。

2. 棹より顔が前に出ないように注意しましょう。

○ 良い例

× 悪い例

● 椅子に座って構える際のポイント

両足のかかとをしっかりと床につけ、太ももが床と平行になるように「**浅目**」に座ります。また、両膝の間を少し開き、背筋を伸ばし楽な姿勢を保ちます。

右の太ももの中間あたりに三味線の胴の上方３分の１部分を載せ、左手の動きが自由に行えるよう、楽器の保持は右手肘と膝のみで支えてバランスをとります。演奏する際に使用する椅子は、肘掛やクッションのないものを選びましょう。

● 正座の場合

基本的に座布団は使用しませんが、この限りでは有りません。足の親指を重ねるように座り、両膝の間を「**握り拳１～２つ程度**（目安として女性は１つ、男性は２つ）」あけ、楽な姿勢で座りましょう。胴は３本の弦が１本に重なって見える角度（手前）に傾けます。

❐ 棹の持ち方

「親指」と「人差し指」の付け根の部分に棹を載せます。「親指」は力を抜き上方向へのばした状態で「人差し指」と「中指」の指先をしっかり折り、「薬指」と「小指」は自然に添えます。このとき、親指と人差し指が「**一直線上に並ぶよう**」に意識しましょう。

❐ 糸の押さえ方

I の指にあたる「人差し指」と、II の指にあたる「中指」は指を立てて押え、弦の太さや音色に合わせて爪先と指先の肉を使い分けます。また、III の指にあたる「薬指」は、指の腹の部分で糸を押えます。

❐ 撥の持ち方

撥の持ち方は手の大きさや指の長さはもちろん、流派やジャンルにより違いがありますが、一般的な持ち方について説明します。

●撥の持ち方の手順

撥の左右がつり合う点（重心）を見つけ、そこへ「**右手の薬指**」がくるように撥を握ります。小指は撥の角が小指の付け根付近にくるようにし、第一及び第二関節を軽く曲げて撥の下に潜らせます。「人差し指」「中指」「薬指」それぞれの第一関節と第二関節の間で撥を握り、親指を開いて撥先 1cm 前後の位置に置きます。

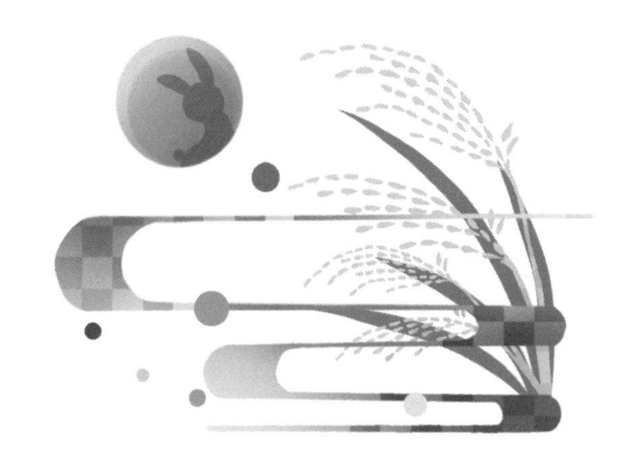

●撥の持ち方、良い例 ○

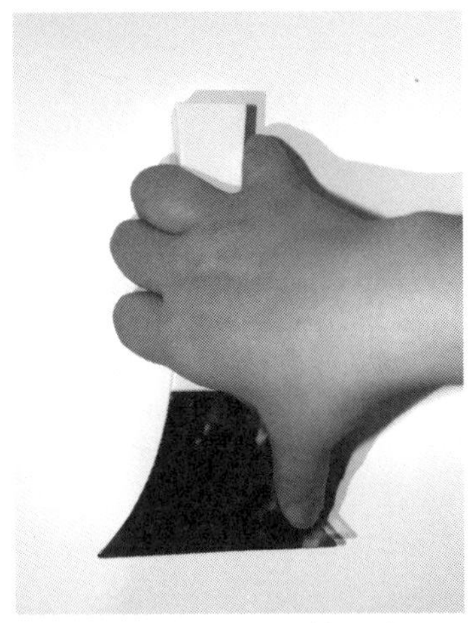

正しい撥の持ち方

撥の側面に合わせて小指の「角度」に注意しましょう。

力を抜いた自然な状態で手首に角度があり、撥と親指の付け根の隙間が上方向にできています。

●撥の持ち方、悪い例 ×

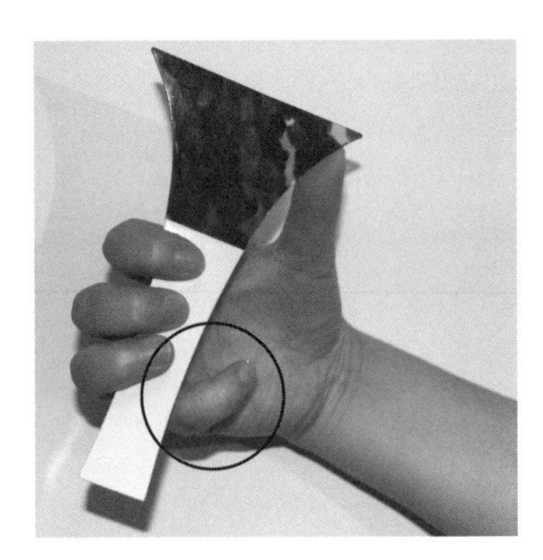

小指が撥をささえず「内側」に入っているので親指に力が入り、人差し指・中指・薬指がバランス悪く開いています。

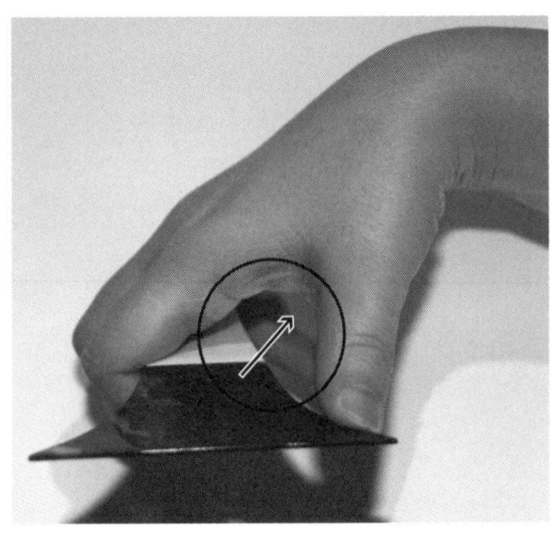

撥と親指の付け根の隙間が横方向につぶれており、小指が撥から離れています。

初心者の多くが一番難しいと感じるのは「**小指の角度**」です。小指は撥の押さえとして大変重要なポジションです。スタートの時期にしっかり習得しておきましょう。

❒ 手首の角度

撥の持ち方とともに、手首の角度はとても重要です。手首の脱力が上手にできると、手首は自然に「**下**」を向きます。

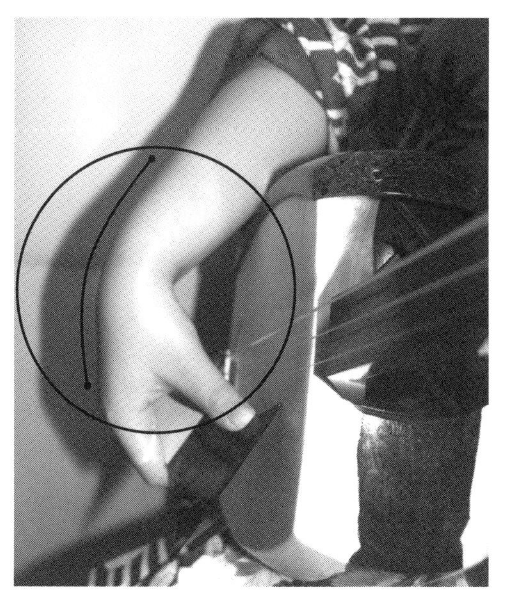

○ 良い例

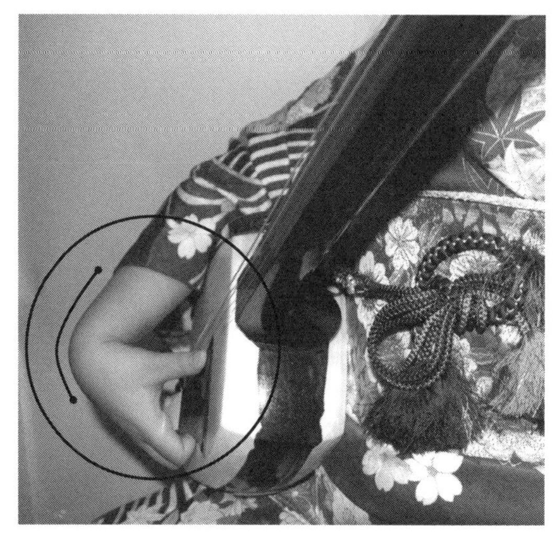

× 悪い例

❒ 撥の当て方

手首は常に柔らかく保ち、お扇子をあおぐように「**上下**」に動かします。常に一定の撥さばきができるよう練習が必要です。撥先で正確に目的の糸を弾き、且つ撥皮を「**叩くこと**」が基本動作です。

どの弦を弾くときも「**振り上げる位置は同じ**」ですが、糸によって撥先の「おろす角度」が微妙に違います。手首を支点にして、撥のひらき面が「**30 〜 40 度の角度**」になるよう弦にあて、音符の長さに合わせて撥先を撥皮にあてます。強弱を表現する場合は、「**右手親指先**」に意識を集中して調整します。

三味線のレッスン風景。
常に良い姿勢で演奏しましょう。

column

屋号とかけ声

歌舞伎を見ていると、客席から「成田屋！」と俳優に声掛けをしている人がいます。この「成田屋」というのは、歌舞伎俳優の「**屋号**」というものです。

例えば、市川團十郎家は、千葉県の成田山を信仰しているので「成田屋」とよばれ、尾上菊五郎家は初代のお父さんが音羽屋半平という名前だったので、「音羽屋」と呼ばれます。これらの声掛けは、舞台上で素晴らしい演技をした俳優を褒めたたえる意味があります。俳優ばかりではなく、観客も良い演技を見ることができた喜びを分かちあえる瞬間といえます。

三味線で立ち弾きをするコツと注意点

三味線で立ち弾きをするには、専用のストラップを使用します。ストラップの取り付け方法は二通りあり、それぞれメリットとデメリットがあります。

一つ目は、三味線の胴に穴を開け、ピンを取り付けてストラップを固定する方法です。この方法は安定感があり、落とす心配もありませんが、ピンの取り付ける位置によって倒れやすさが変わるので注意が必要です。具体的には、一の糸側にピンをつけると棹が倒れやすいので、三の糸側につけることをお勧めします。

二つ目は、胴に穴を開けずにストラップを取り付ける方法です。ストラップの一方を三味線の音緒へ固定し、もう一方を棹の根元、または三の糸巻きの下の隙間に固定します。きちんと固定しなければ落下する危険がありますが、三味線に穴を空けたくない方にはお勧めです。

音緒と棹の根本にストラップ

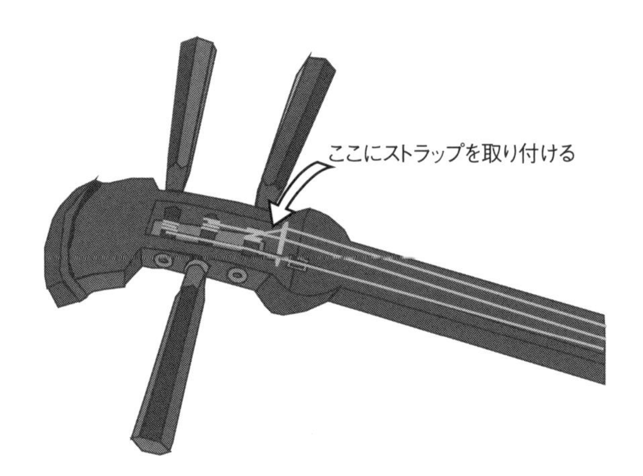

三の糸巻きの下の隙間

最近は、三味線に穴を空けずにストラップの取り付け、取り外しができるジョイントパーツも売られています。ストラップは色々なデザインがあり、好みに合わせて選ぶことができます。

ストラップの長さは、座っている時と同じ高さ、同じ位置に三味線がくるように調節します。身体の大きさにもよりますが、だいたい勘所９が正面にくると演奏がしやすいでしょう。また、三味線が左側に寄ると撥から遠くなるので、座っているときと同じように右の脇をしめて「右腕重心」を意識すると良いでしょう。

□ 第三章 実践編

テクニックを
身につけましょう

第三章　実践編　その一

開放弦の練習

❖Ex-1　開放弦の基礎練習①

練習時は、「姿勢」「三味線の位置」「撥の持ち方」等、正しい構えを意識しましょう。

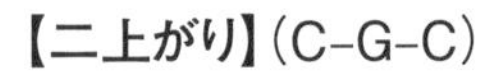

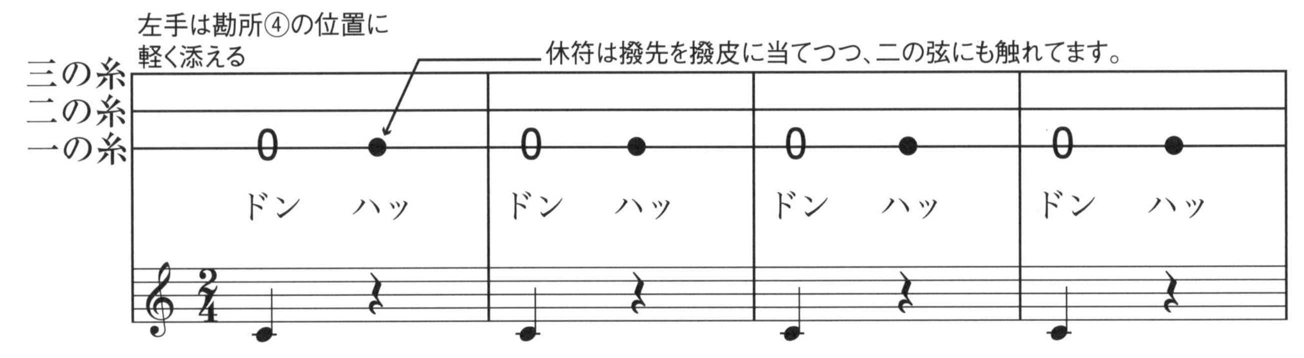

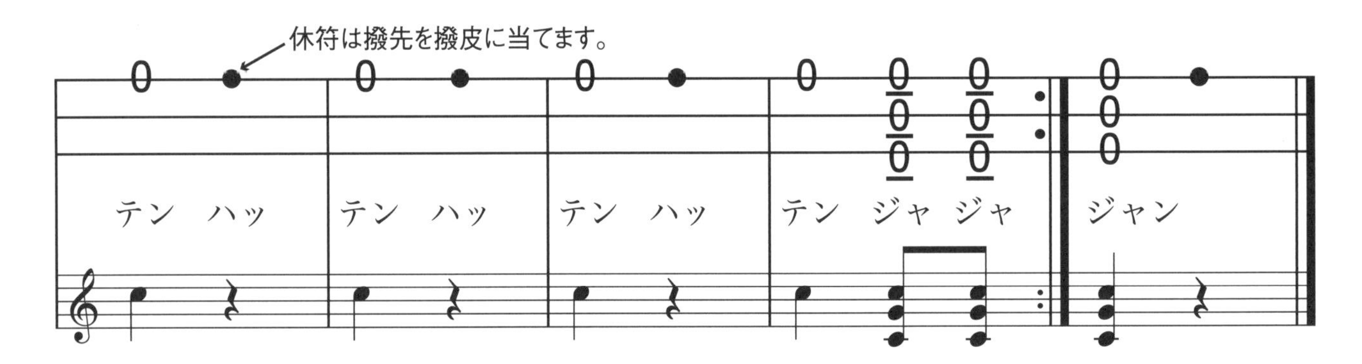

演奏のポイント

- はじめはゆっくりと徐々にテンポを速くしていきましょう。
- 手首は柔らかく、お扇子をあおぐようにイメージしましょう。
- 撥の角度は、糸に対して 30~40 度がおよその目安です。
- 上級者は音色や音量を意識して取り組みましょう。
- 休符はしっかりと感じるようにしましょう。

❖Ex-2　開放弦の基礎練習②

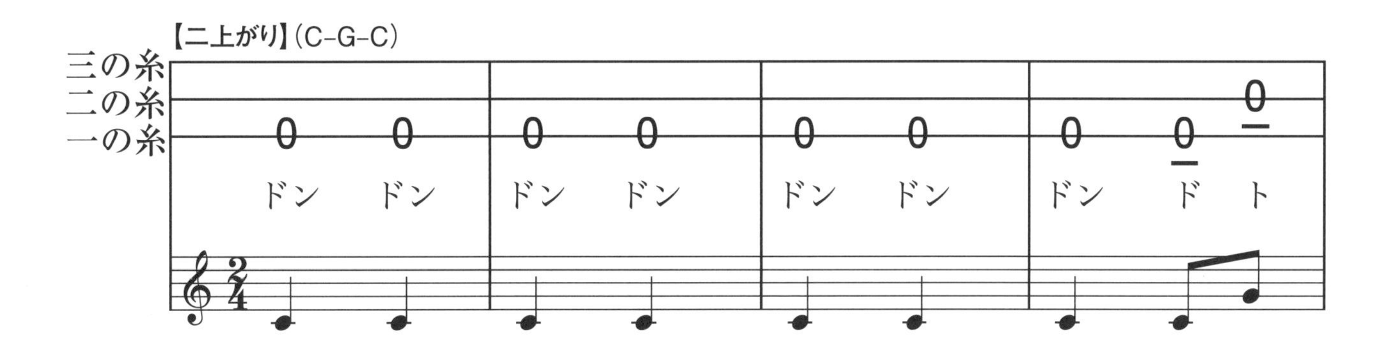

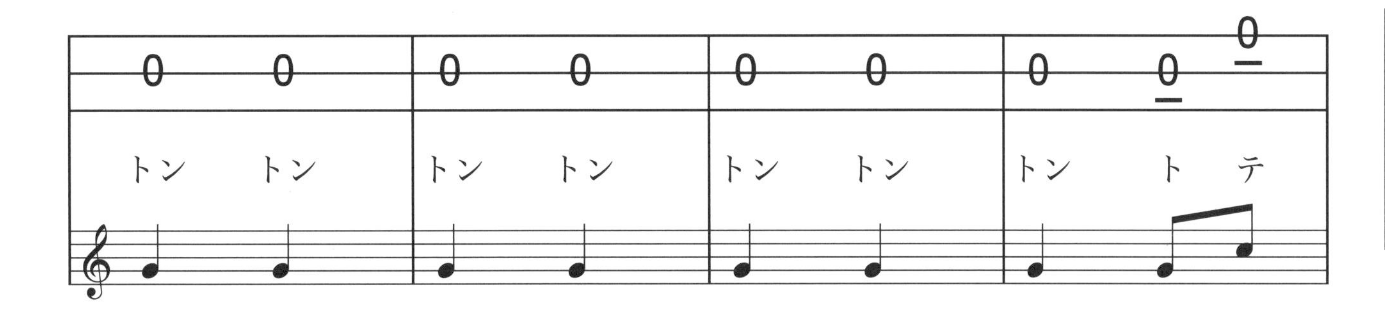

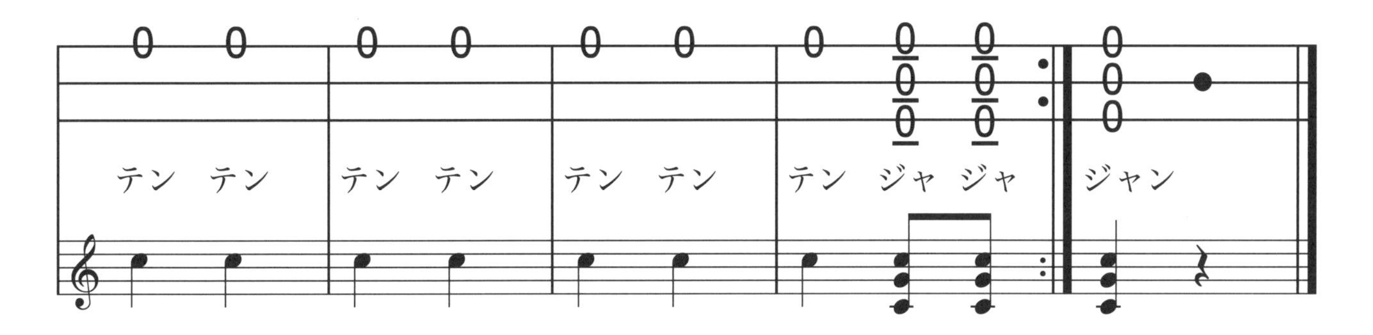

演奏のポイント

- 小指は、どの糸を弾くときも同じ位置にあるように意識しましょう。

❖Ex-3　開放弦の基礎練習③（前撥、後撥）

【二上がり】(C–G–C)

※□で囲っている音は前撥、囲っていない音は後撥

撥先を前後の弦の位置に確実に当てましょう。強弱は親指の感覚で撥先を調整します。

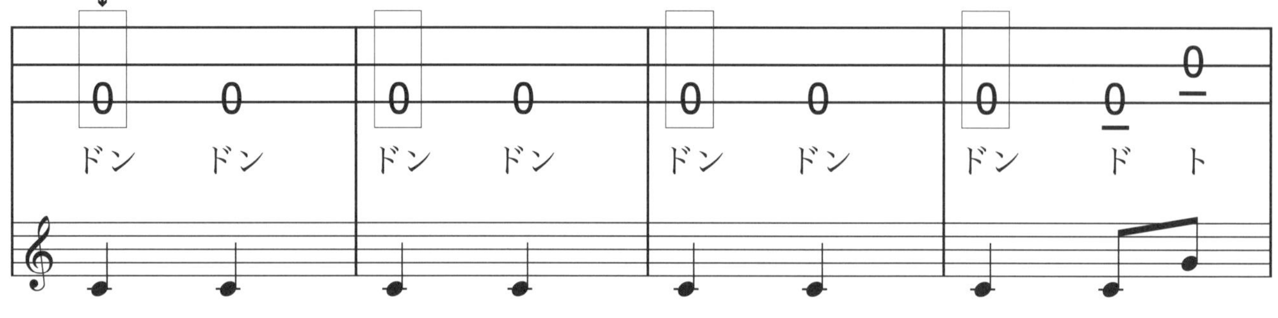

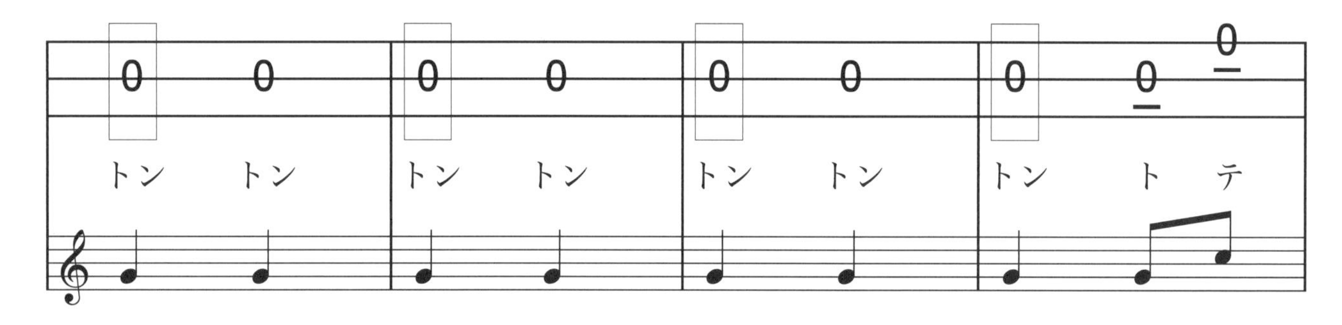

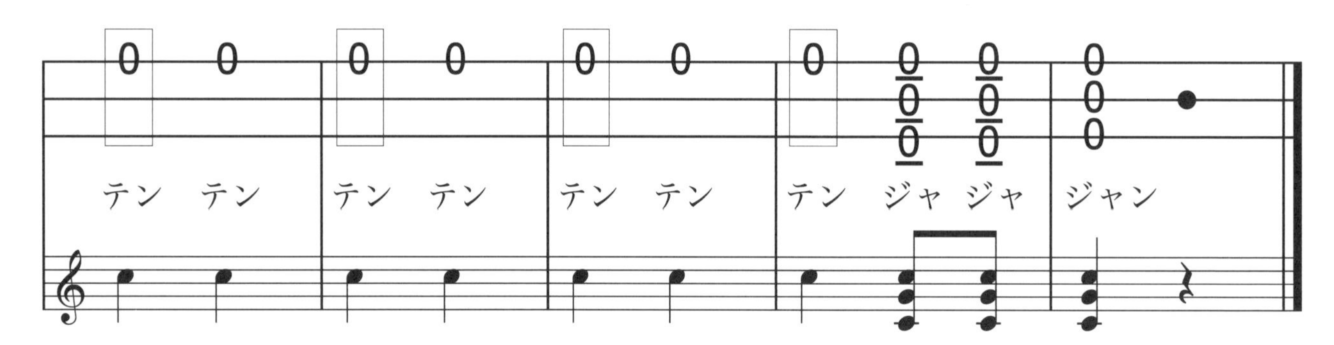

●前撥・後撥（撥付け）について

前撥・後撥は、津軽三味線の基本奏法の１つです。前撥は撥先に意識を集中し、「**親指**」を巧みに使って弱音や澄んだ余韻のある音色を奏でます。後撥は、「**比較的力強い音色**」を表現して津軽民謡らしいリズムやアクセント を表現します。前後の撥の位置を意識し過ぎず、アーティキュレイション を大切に表現しましょう。

演奏のポイント

- 「振り幅」「強さ」が一定になるように意識しましょう。
- 「前撥を弱く」「後撥を強く」等、強弱を意識して取り組みましょう。
- 駒から 3cm 前後の位置は硬めで大きな音がします。「後撥」の練習をしながら位置を確認しましょう。

❖Ex-4　開放弦の基礎練習④

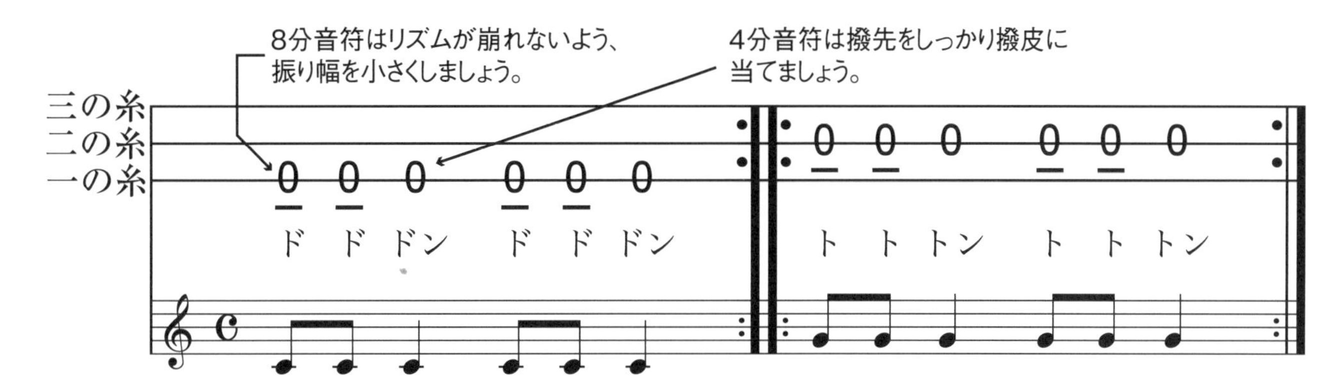

❖Ex-5　開放弦の基礎練習⑤

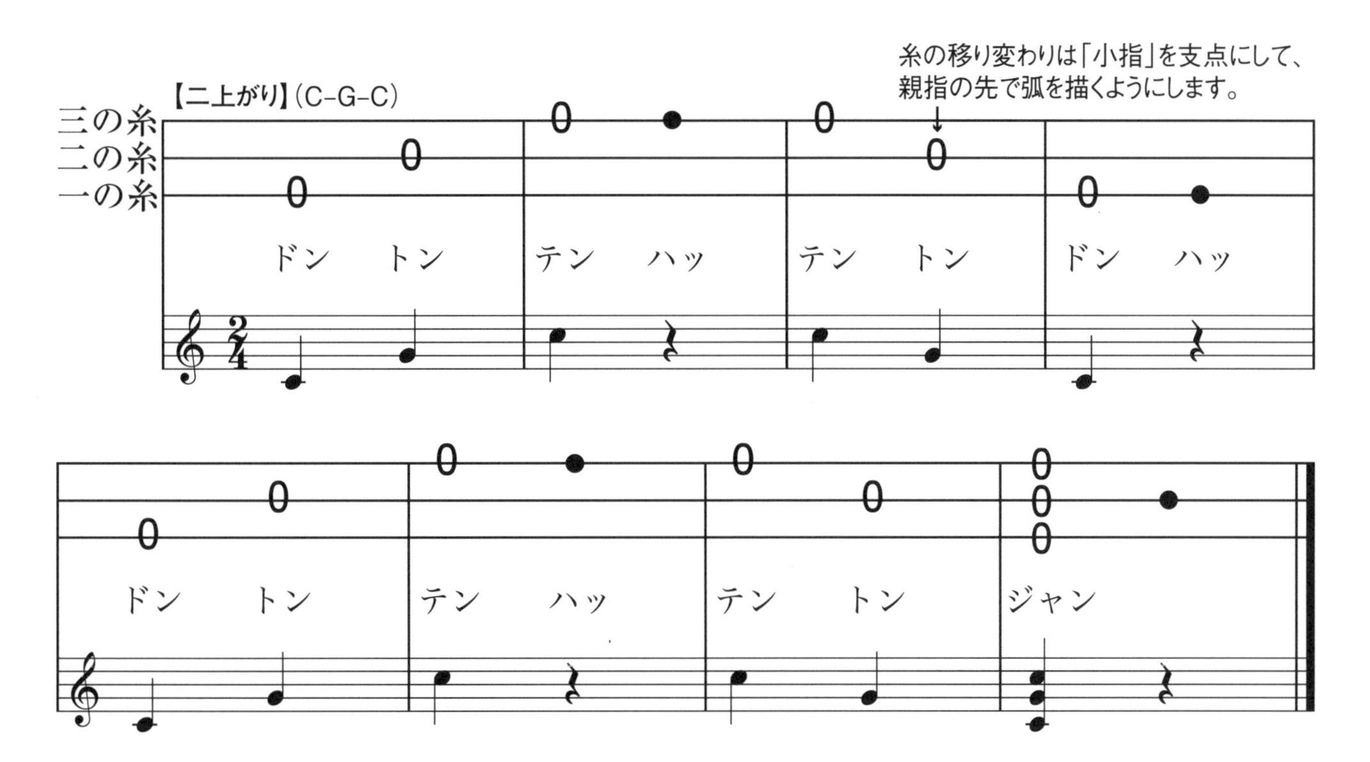

演奏のポイント

- 「振り上げ」「振り下ろし」は手首を支点に、各弦の移動は小指を支点に練習しましょう。

❖Ex-6　開放弦の基礎練習⑥

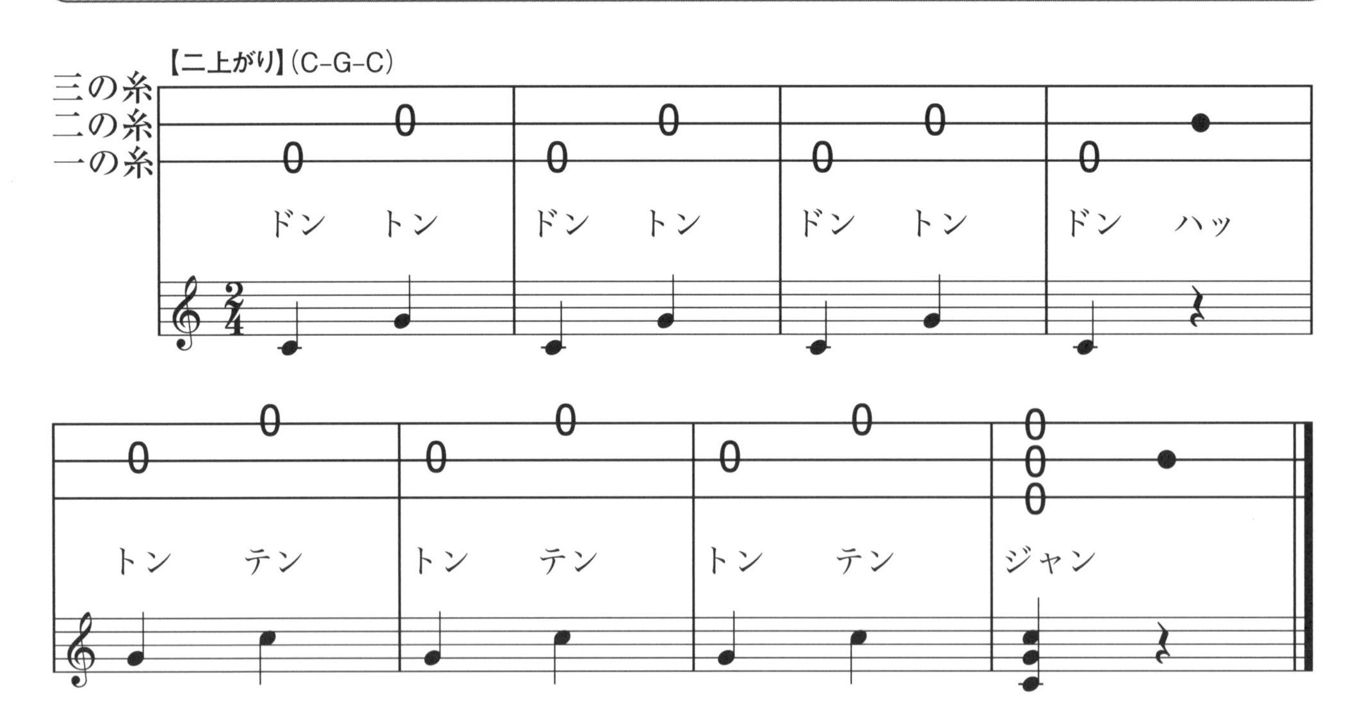

❖Ex-7　開放弦の基礎練習⑦

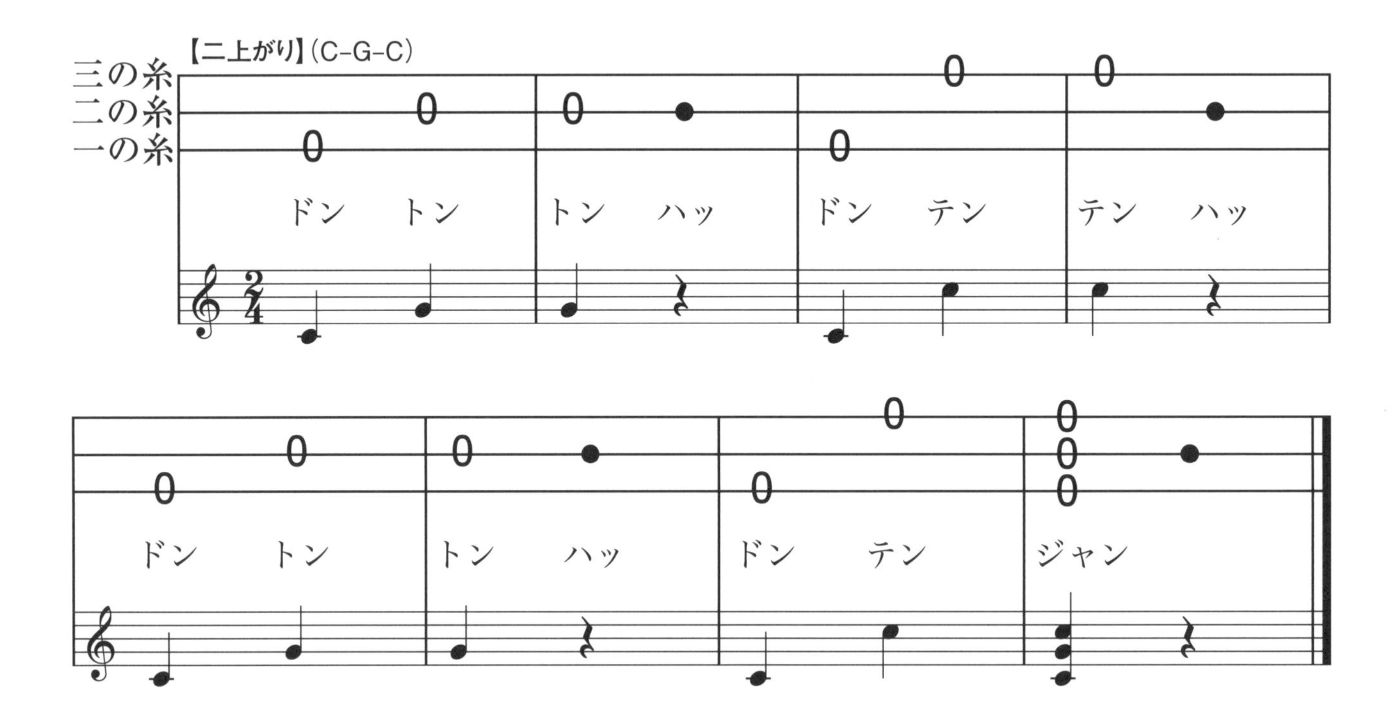

❖Ex-8　開放弦の基礎練習⑧

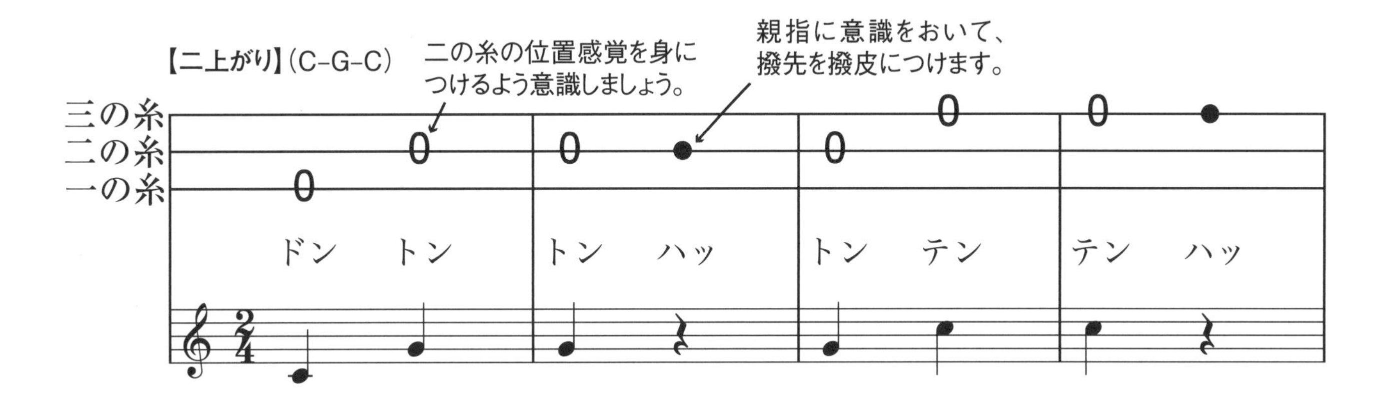

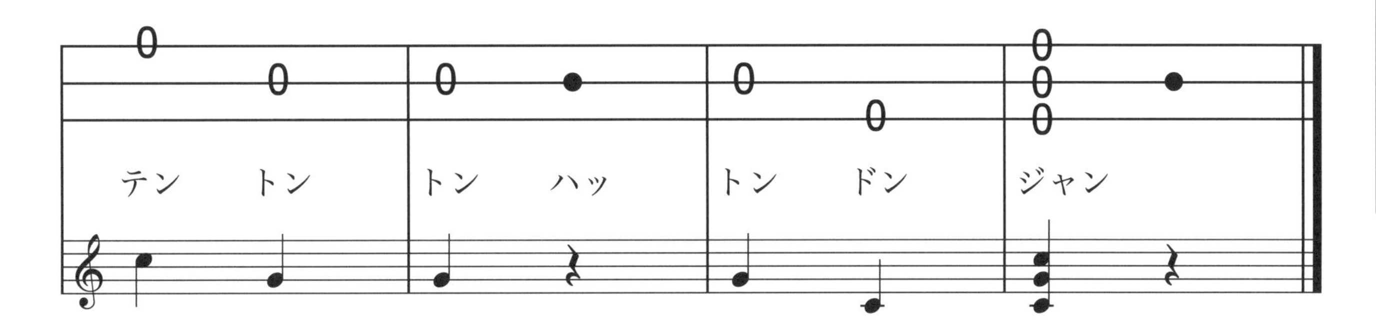

演奏のポイント

- 撥は一定の振り幅を意識して練習しましょう。
- 響きや音色を意識して取り組みましょう。

❖Ex-9　開放弦の基礎練習⑨

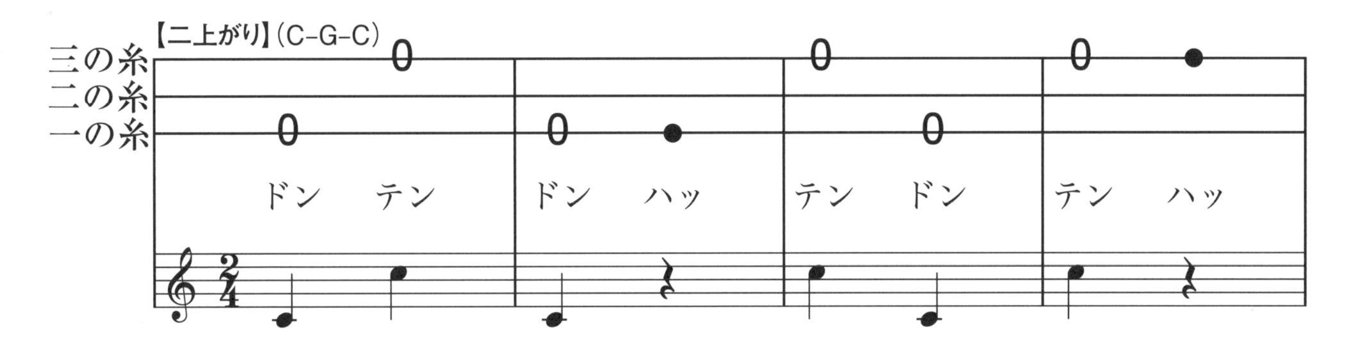

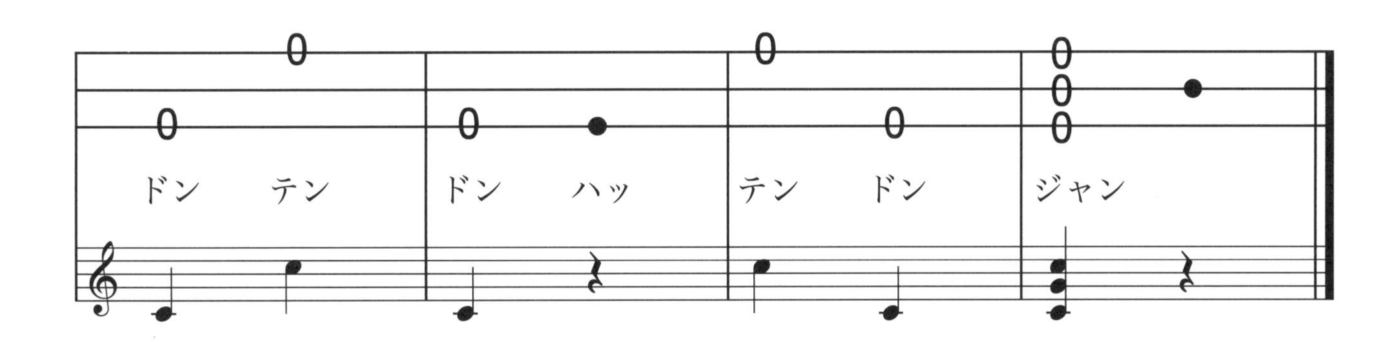

❖Ex-10　開放弦の基礎練習⑩（三つ間の取り方）

3拍分の休みを「ン　ヨーイ」の
口三味線で感じましょう。

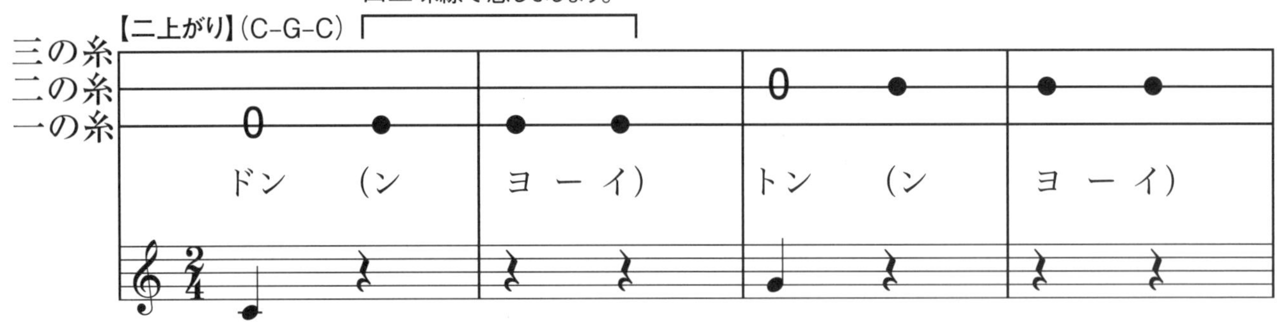

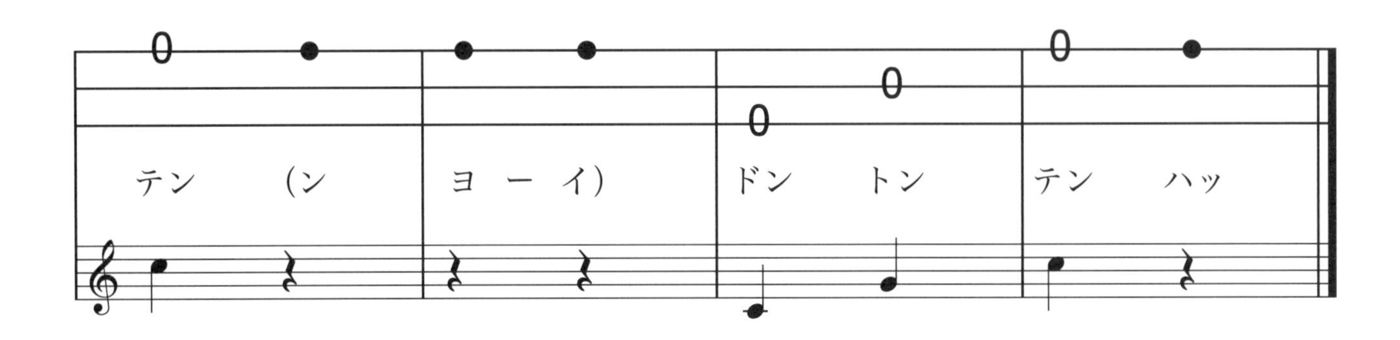

column 舞台化されるほどのヒット曲

新内節の名人、初代・鶴賀若狭掾は、実際に起きた心中事件をもとに作曲、記憶に新しい事件を題材とした作品は江戸で大当たりしました。大変人気があったので清元節に移され、『明烏花濡衣（あけがらすはなのぬれぎぬ）』という題名で歌舞伎にもなり話題になりました。

勘所の練習

❖Ex-1　1・2のポジション練習

指の角度は、棹に対して90度になるように意識しましょう。
【二上がり】(C–G–C)
三の糸
二の糸
一の糸
親指は移動しやすいよう、
力を抜きましょう。

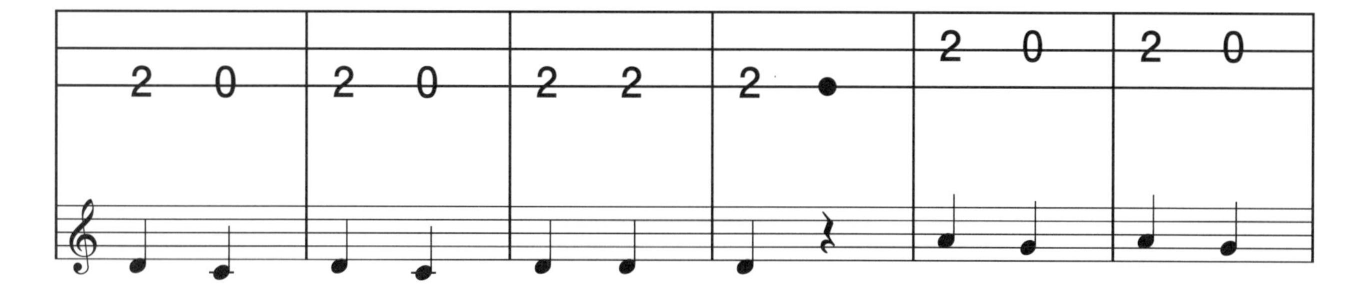

演奏のポイント

- 右手は開放弦の基礎練習を基に応用しましょう。
- 勘所とは、音程を正しくとる左手のポジションのことです。
- 素早く移動し、次の糸の１音目をしっかりと押さえましょう。

❖Ex-2　2・3のポジション練習

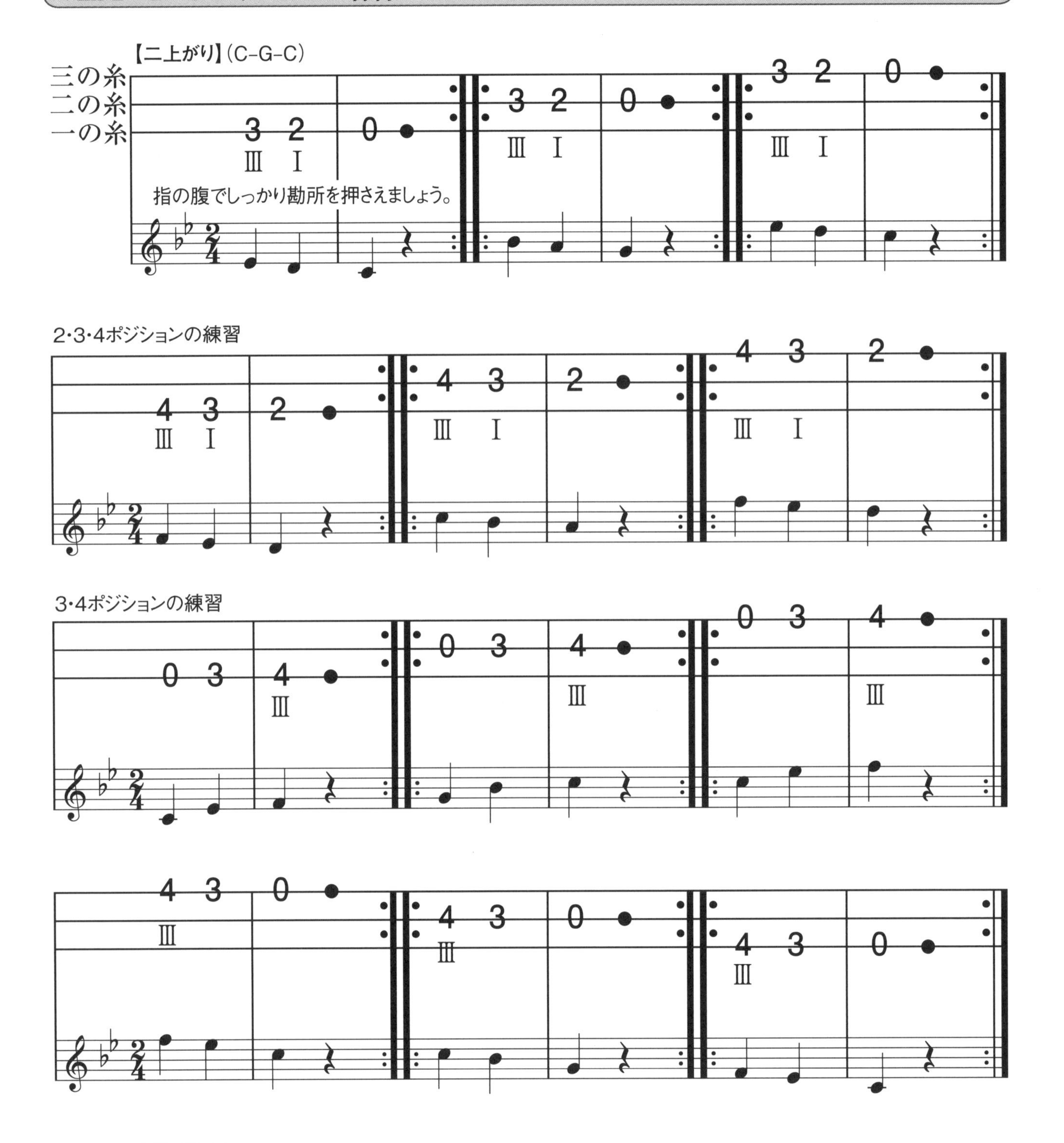

演奏のポイント

- 勘所を押さえる指は、上腕と挟むように押さえて親指はまっすぐ伸ばしましょう。
- 良い姿勢を意識し、余分な力は抜きましょう。

❖Ex-3　高音部のポジション練習

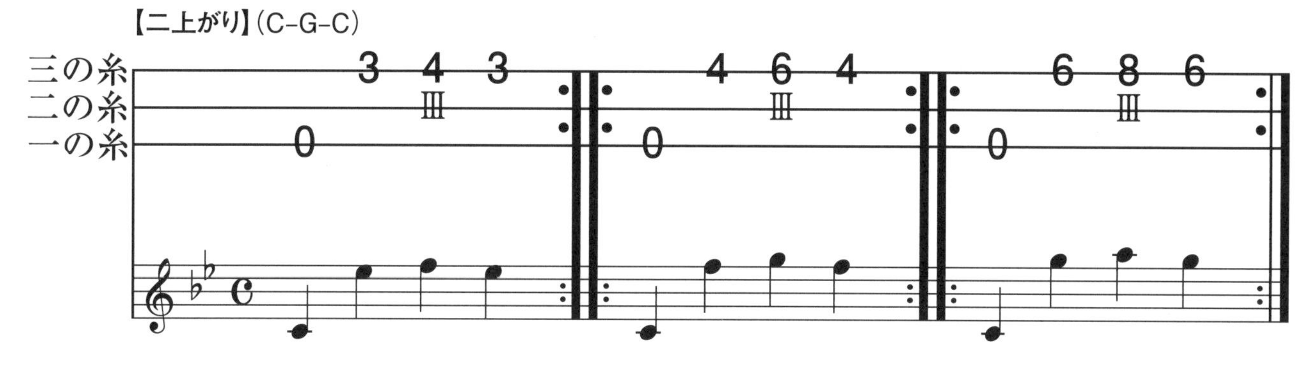

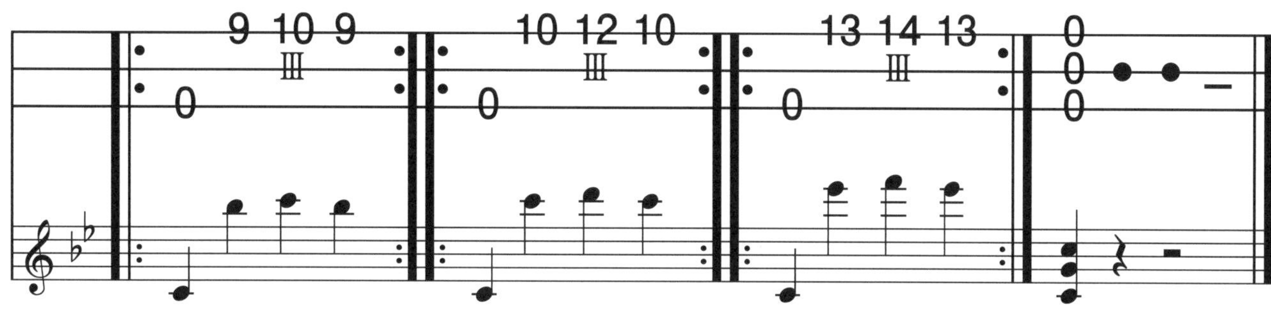

❖Ex-4　2音のポジション練習

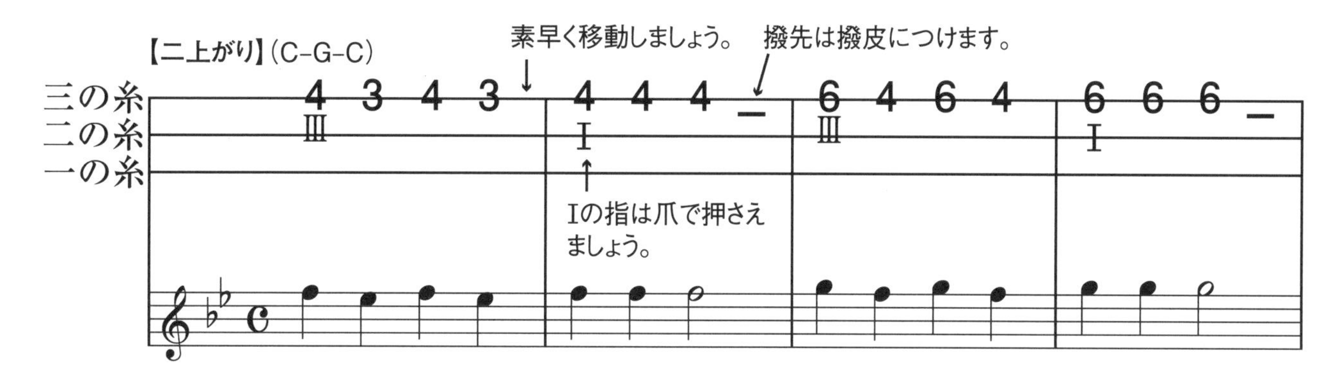

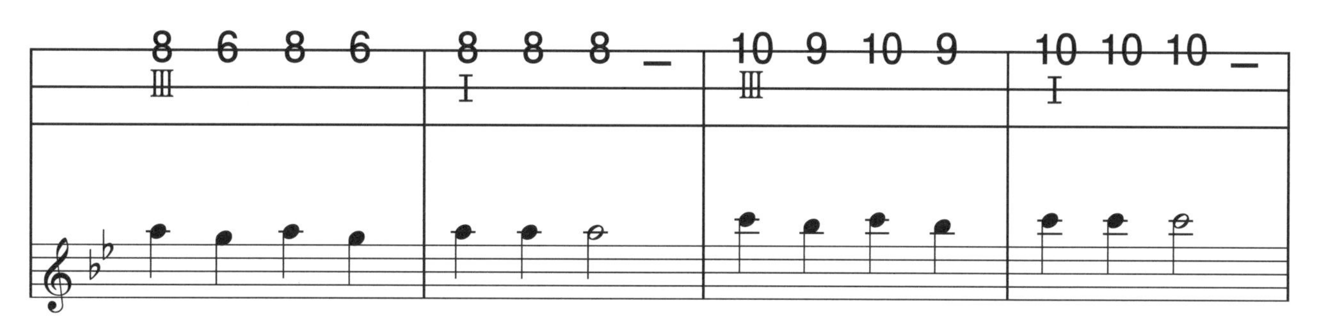

❖Ex-5　半音の練習

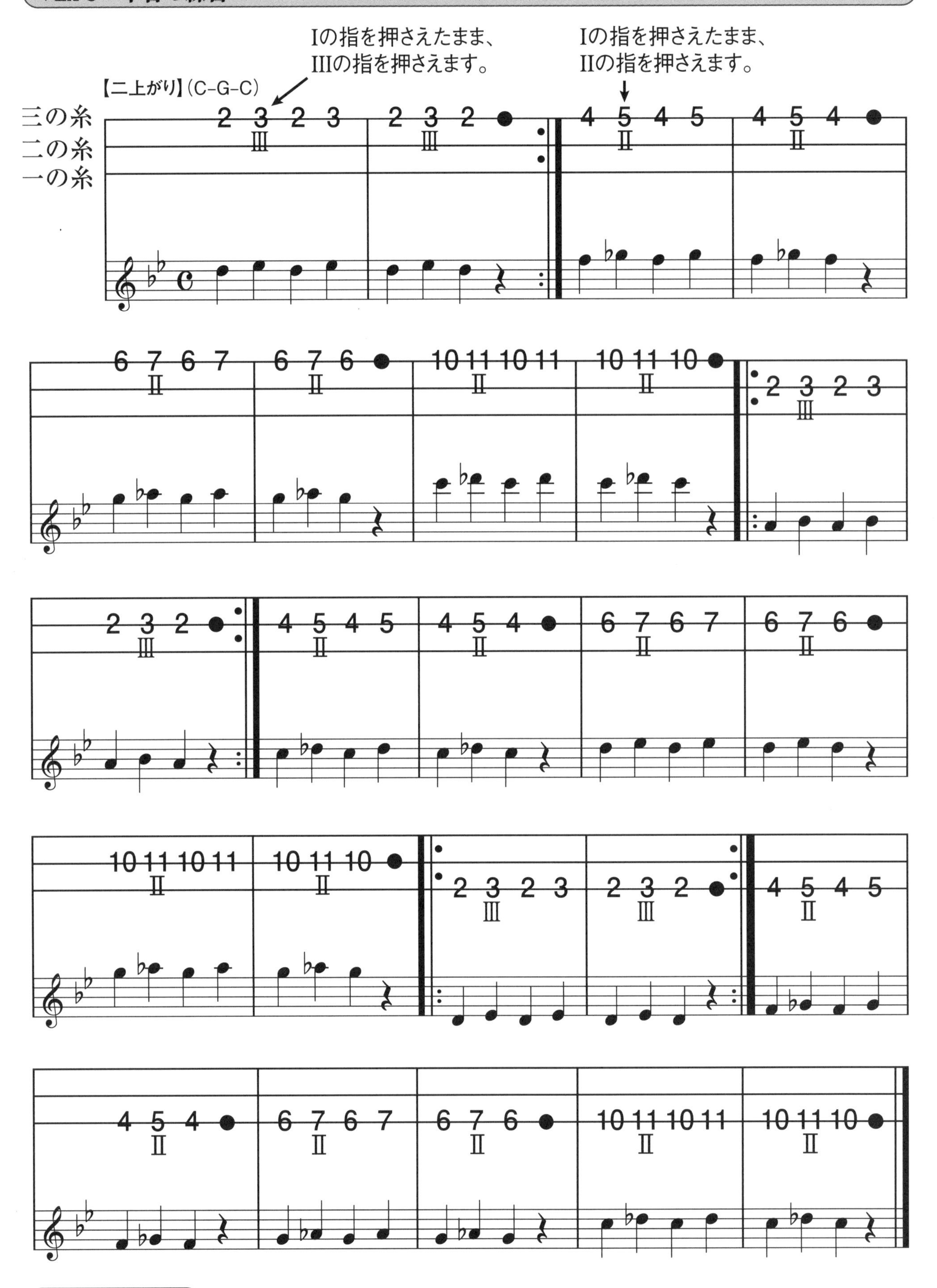

演奏のポイント

- 4–5・6–7・10–11 は半音になるので II の指を使用しますが、2–3 の半音は間隔が広いので III の指を使用します。

左手・右手の技巧練習

❖Ex-1　合わせ撥の練習

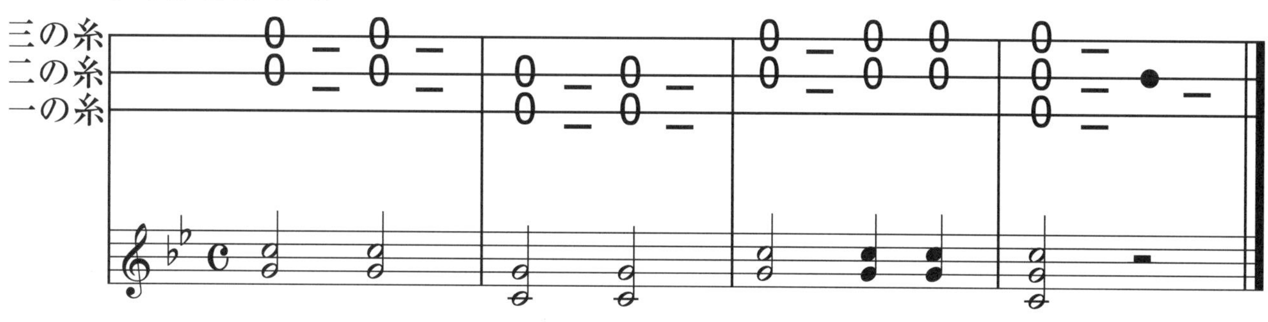

演奏のポイント

通常より少し高く撥を構え、2本の弦を同時に響かせるように一息で振り下ろしましょう。合わせ撥は、隣り合った弦を同時に弾く奏法です。

❖Ex-2　オクターブ以上の重音の練習

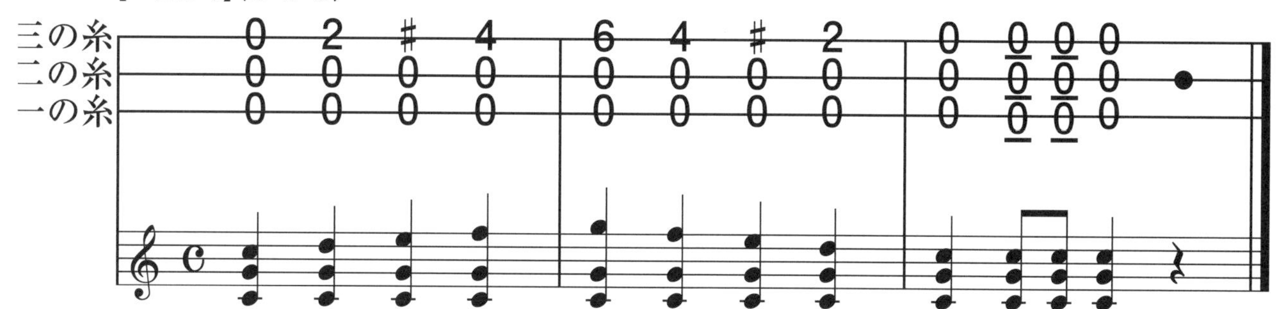

演奏のポイント

• 通常より少し高く撥を構えましょう。3本の弦を同時に響かせるように、一息で振り下ろします。
• 手首に力が入らないように意識しましょう。

❖Ex-3　手押し重ね、かき回し（カマシ、またはカマセ）

手押し重ねとは、相互間の弦を押し重ねのように弾いてから三の糸を指でハジく奏法（P.62 参照）です。

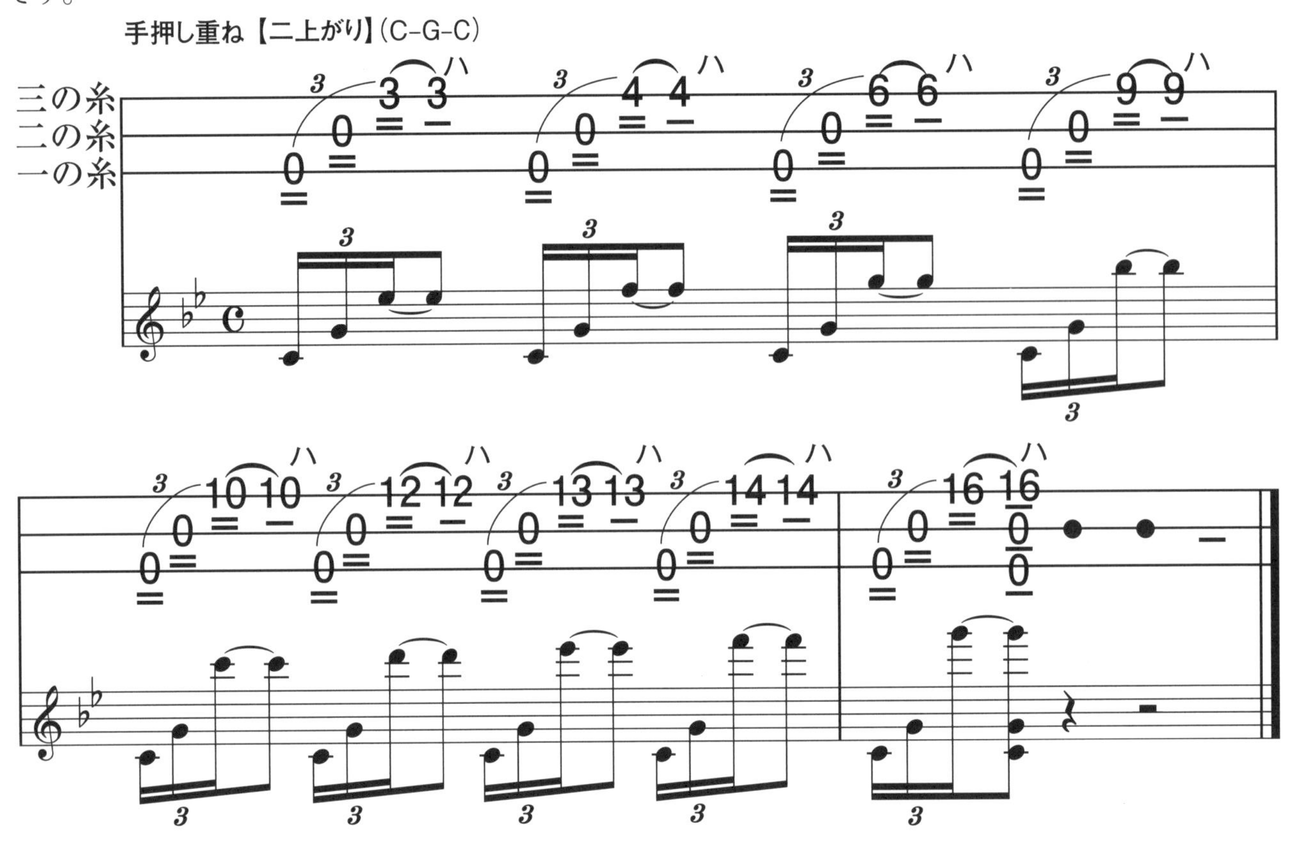

演奏のポイント

- 二・三の糸を弾くときは、指先を皮から離さないようにし、３つの音が聞き分けられるように弾きます。

かき回し（カマシ、またはカマセ）は、曲弾きの最後に多く用いられる技法です。強く弾かないのがコツです。

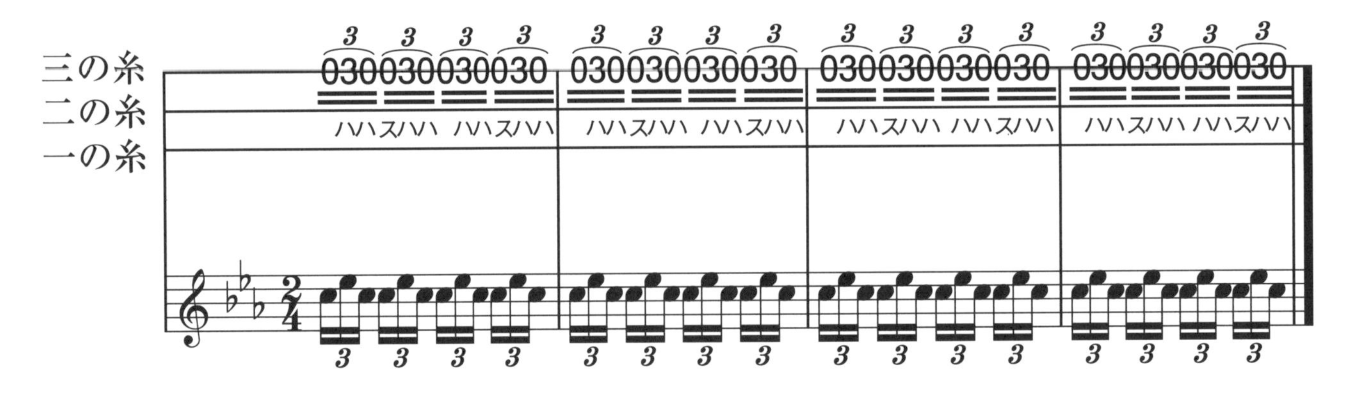

演奏のポイント

- 三の糸の開放弦を弾き、人差し指で三の糸の３の勘所を押さえたまま、薬指でハジキます。連続して人差し指もハジキ、撥で三の糸の開放弦をスクイます。連続して人差し指で三の糸の３の勘所を押さえたまま薬指でハジキ、連続して人差し指もハジキます。

❖Ex-4　IIIの指スリ練習（一の糸）

「スリ」は、糸を弾いた後に「**勘所を押さえたまま他の勘所に移動して**」、糸の余韻を効果的に出す奏法です。勘所の位置を覚えるために、数字を声に出しながら移動しましょう

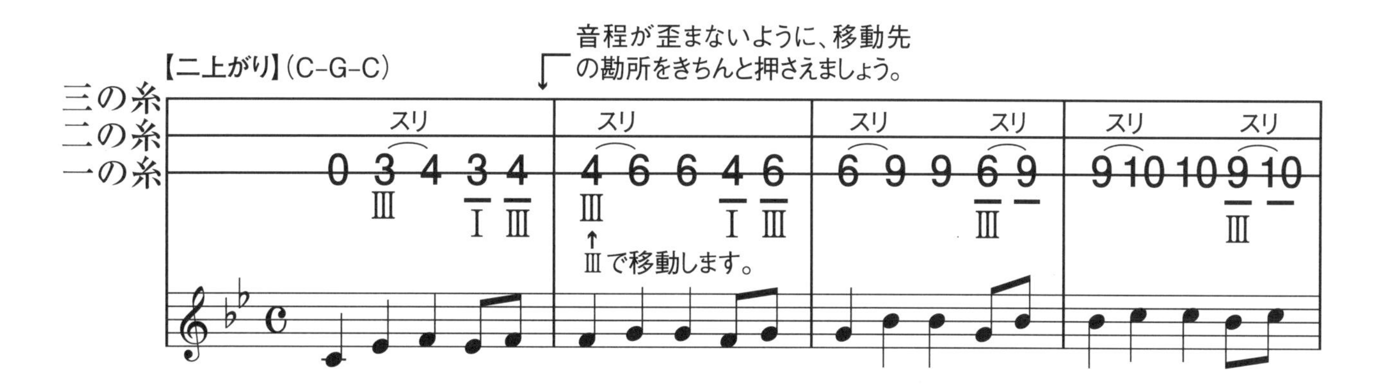

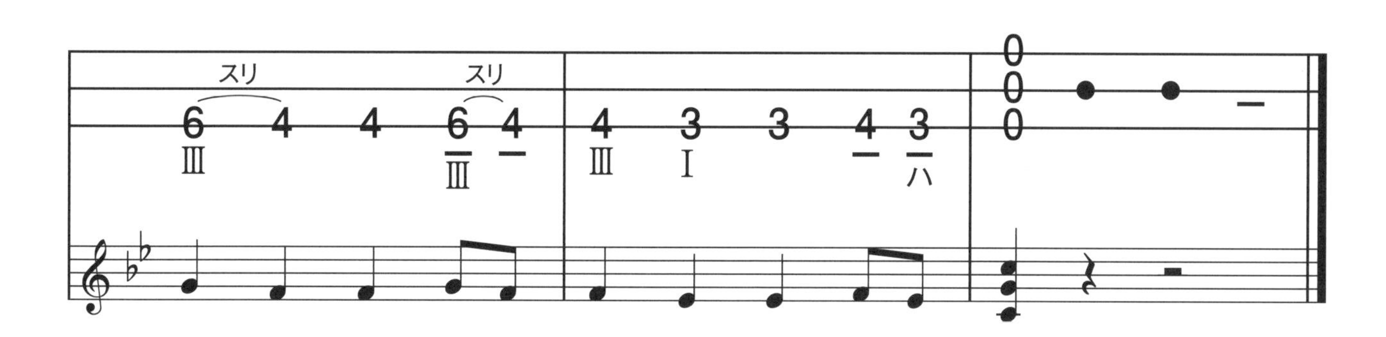

❖Ex-5　IとIIの指スリ練習（三の糸）

三の糸だけではなく、二の糸でも練習しましょう。

演奏のポイント

- 各勘所を正確に押さえて取り組みましょう。

❖Ex-6　オシバチの練習

隣り合った２本の糸を「**一本一本押し付けるようにして弾く**」奏法です。

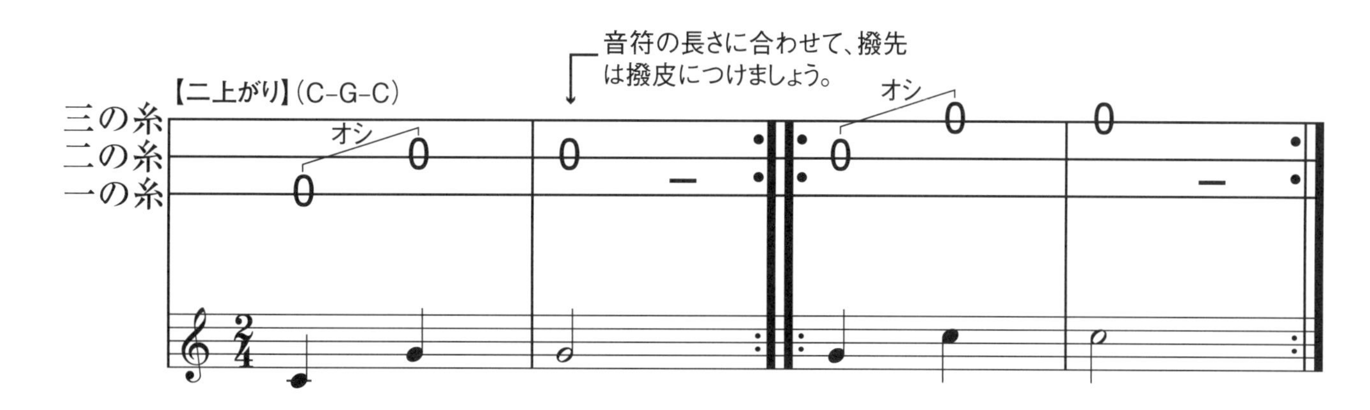

❖Ex-7　ウチの練習

ウチとは、人差し指で勘所を押さえて「**中指、または薬指で弦を打つ奏法**」で、柔らかい音色がします。手のひらで棹と弦を打つ「**ウチデ**」という奏法もあります。

※開放弦の場合は、Iの指（人差し指）で打ちます。

❖Ex-8　II・III ウチの練習

演奏のポイント

- タッカのリズムを感じて取り組みましょう。

❖Ex-9　スリ・ウチの練習

スリ奏法とウチ奏法の複合練習です。左手の動きが複雑になりますので、リズムがずれないように注意しましょう

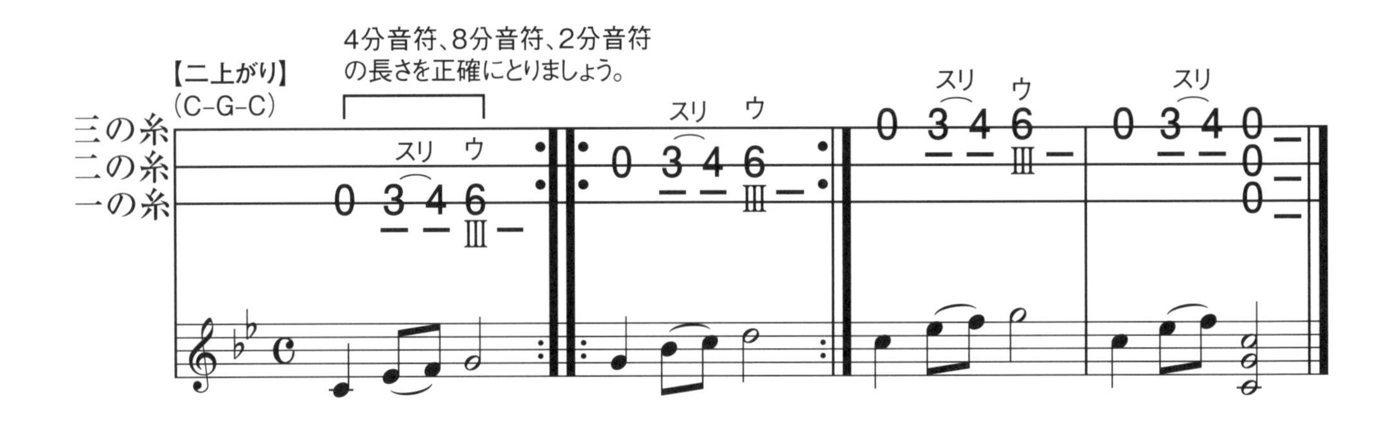

❖Ex-10　スクイの練習①（2分音符と休符）

スクイは、表側の撥先の角で「**糸を下から上へすくう奏法**」でよく使用されます。

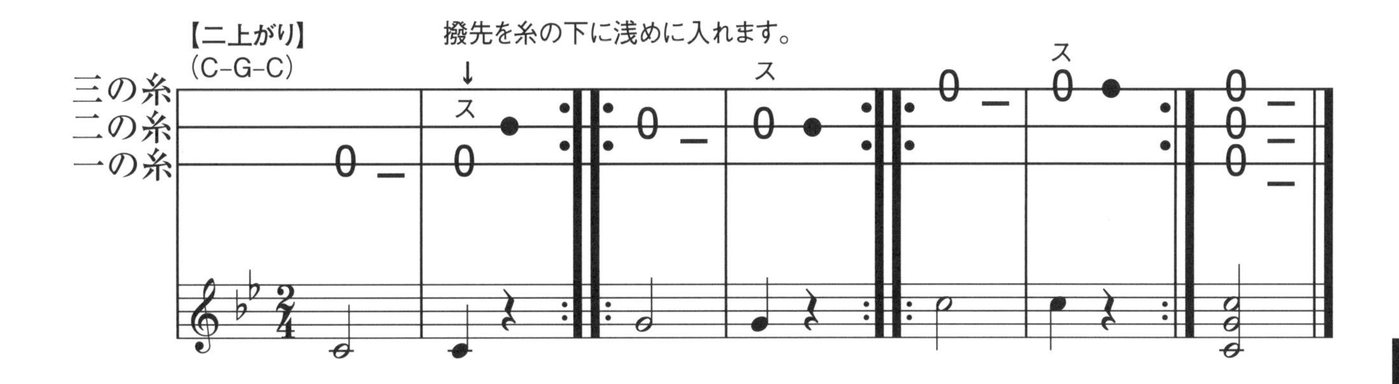

❖Ex-11　スクイの練習②（4分音符）

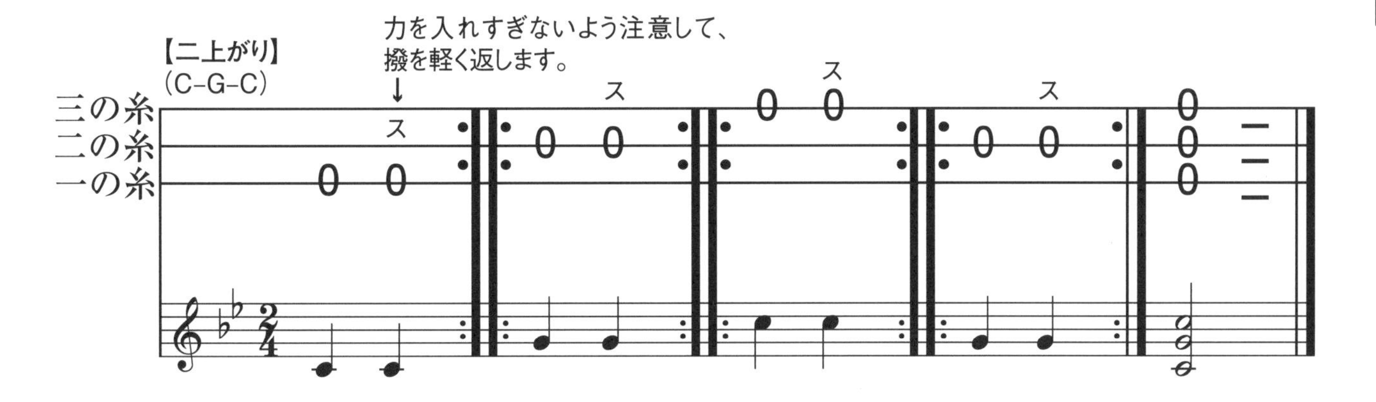

❖Ex-12　スクイの練習③（8分音符と休符）

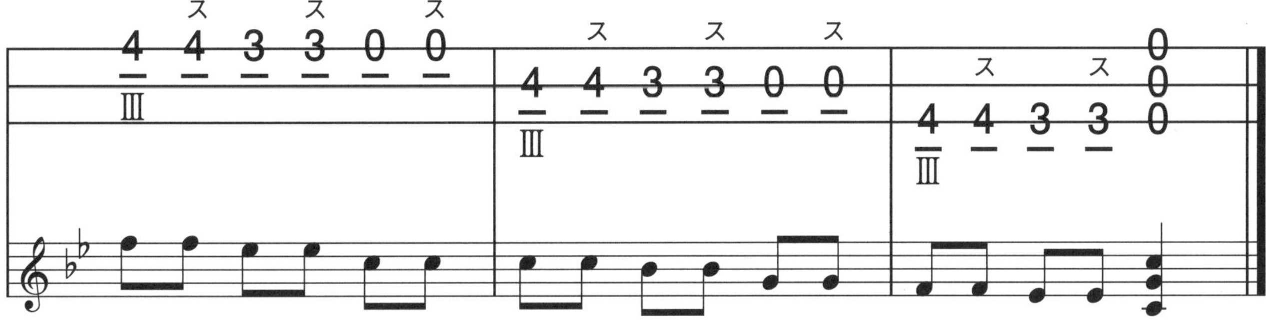

❖Ex-13　ハジキの練習①（開放弦）

ハジキとは、「**左手の指で弦をハジいて音を出す奏法**」で、スクイと共によく使う奏法です。開放弦のときはⅠ、Ⅱの指を使い、勘所を押さえているときはⅡ、Ⅲの指を使います。

❖Ex-14　ハジキの練習②（Ⅲの指）

❖Ex-15　ハジキの練習③（Ⅱの指）

❖Ex-16　スクイとハジキの複合練習①

口三味線では、三の糸は「チリレレ」、二の糸は「ツルロロ」、一の糸は「ヅルロロ」です。

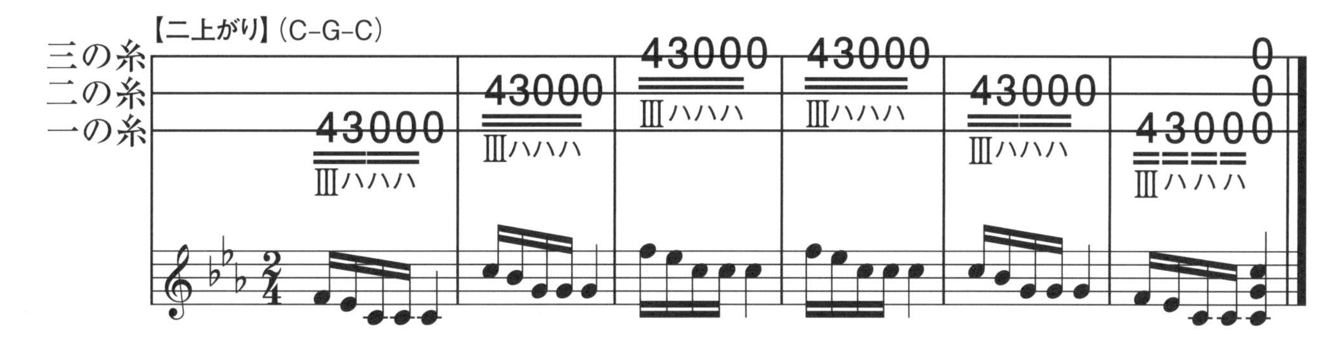

演奏のポイント

- 4と3を同時に押さえて、4を弾いた後に3を押さえたまま薬指をハジキ、そのまま押さえている人差し指を2回ハジキます。

❖Ex-17　スクイとハジキの複合練習②

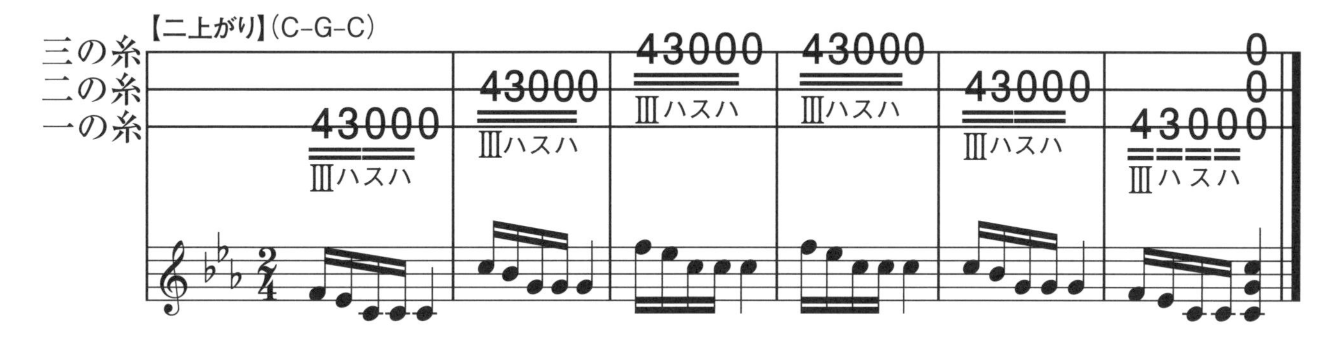

演奏のポイント

- 4と3を同時に押さえて、4を弾いた後に3を押さえたまま薬指をハジキ、開放弦をスクイ、そのまま開放弦を人差し指でハジキます。

❖Ex-18　スクイとハジキの複合練習③

バチは皮に押さえつけたままにしましょう。薬指は糸をハジクイメージです。勘所のポジションを移動するときは、人差し指は糸を離さずに移動しましょう。

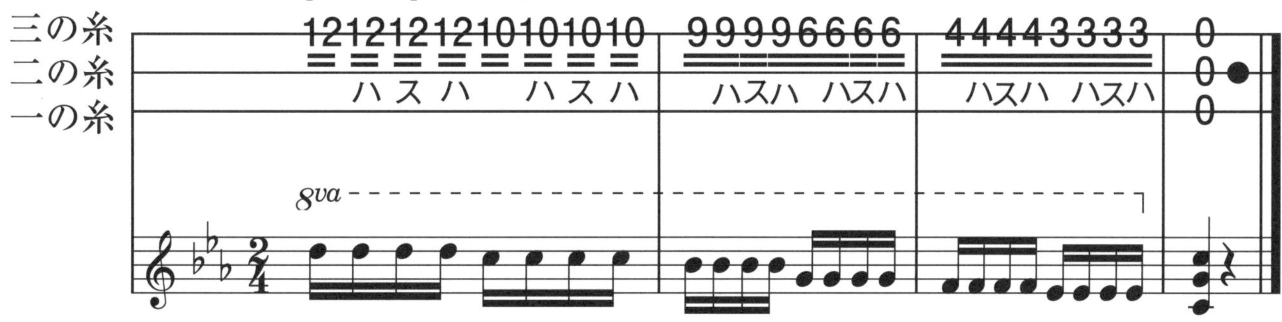

演奏のポイント

- 人差し指で三の糸の12の勘所を押さえたままバチでその糸を弾き、薬指でハジキます。人差し指で三の糸の12の勘所を押さえたままスクイ、12の勘所を押さえたままハジキます。

❖Ex-19　オシとハジキの複合練習

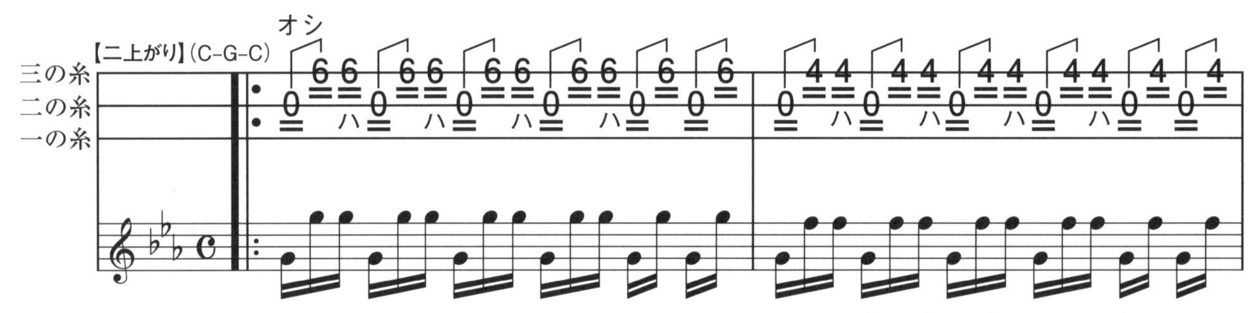

慌てずに一定のテンポを保ちましょう。

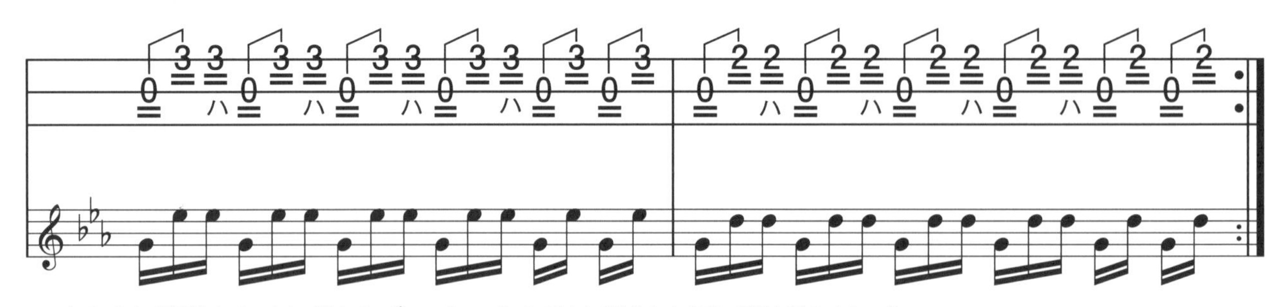

次の音に移動することに捉われず、一音一音の長さと響きを大切に取り組みましょう。

❖Ex-20　スクイ・オシ・スリ・ハジキの複合練習

糸の移動に気を取られないよう、拍を感じながら打つ瞬間に移動しましょう。テンポを変えて練習してみましょう。

❖Ex-21　合わせ撥の移動練習

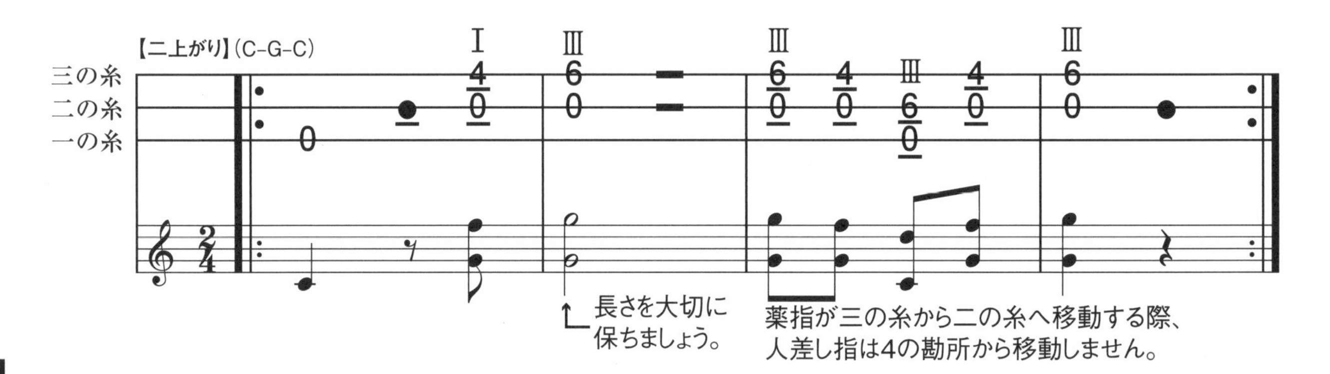

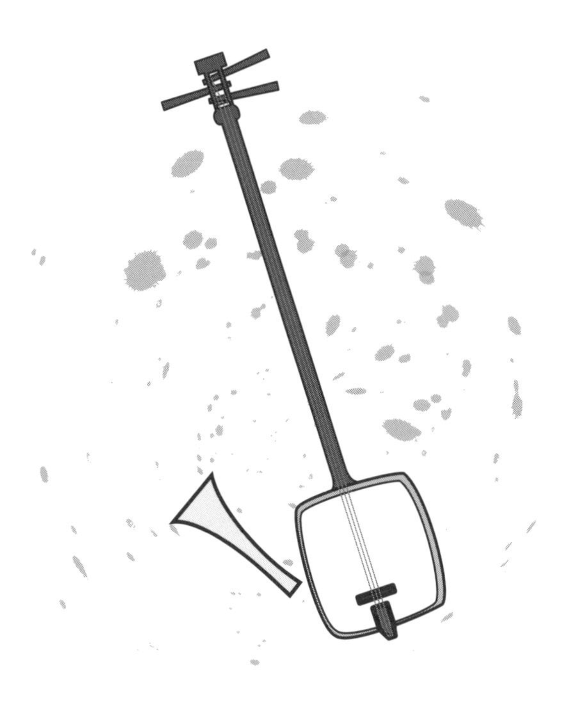

□ 第四章 応用編

曲を弾きましょう

※掲載している曲の歌詞は、編集の都合上１番のみの掲載になっております。また、P.74「山中節」は同じ節を繰り替えしますが、その中で１番綺麗な唄い回しを掲載しています。また、各曲の指使いは、曲の流れや流派により違いがあります。一例として参考にしてください。

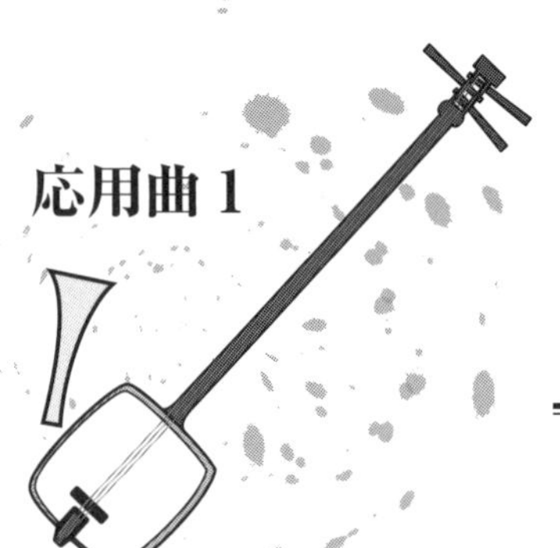

応用曲 1

さくらさくら

日本古謡

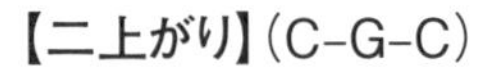

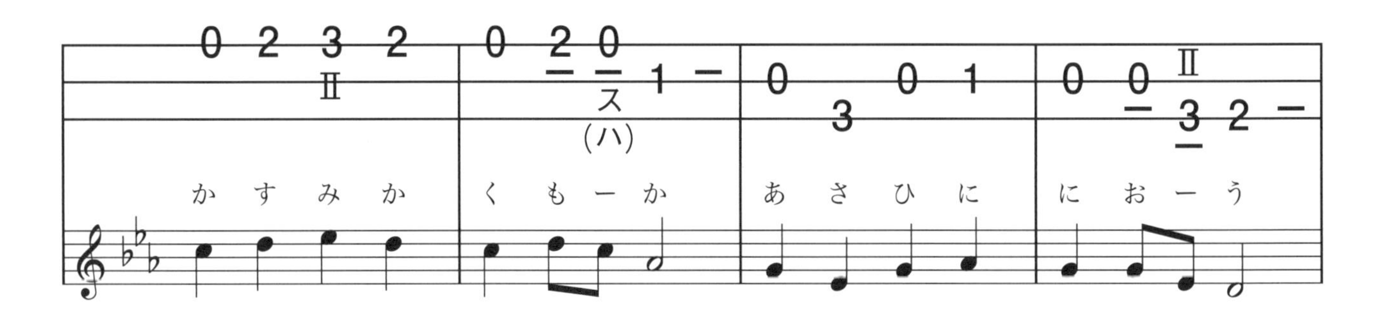

ス
(ハ)

さ く ら　さ く ら　は な ざ ー か　り

❒ 曲解説

作者不詳のため、多くの楽譜には「日本古謡」と表記されていますが、この曲は幕末に江戸で子どもの箏の手ほどきのために作曲されたとあります。スクイの部分をハジキに変えて練習するのも良いでしょう。

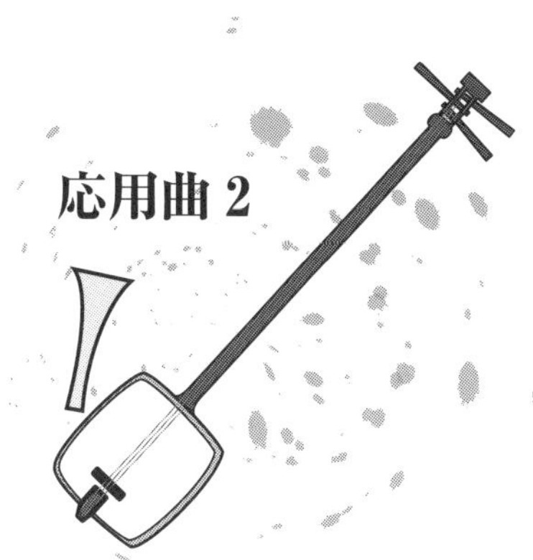

応用曲 2

東京音頭

作詞：西條八十　作曲：中山 晋平

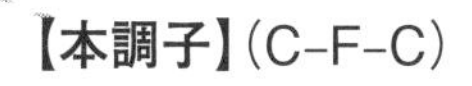

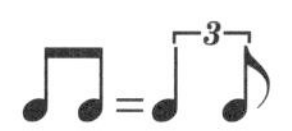

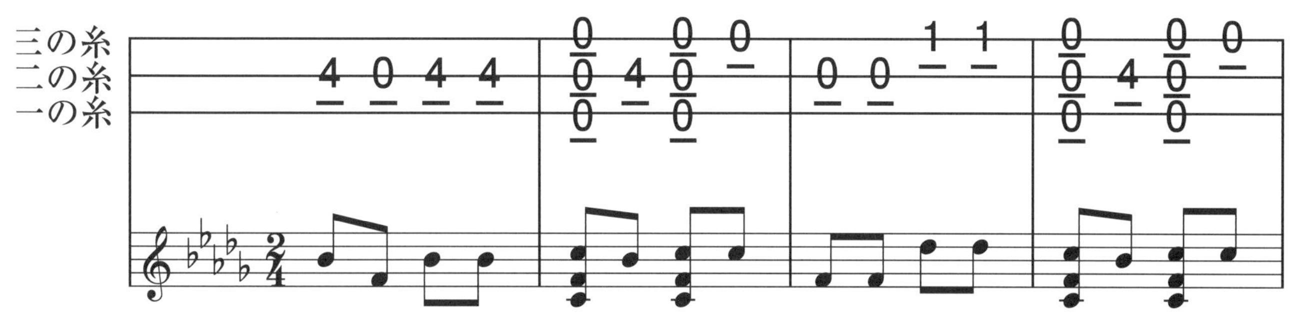

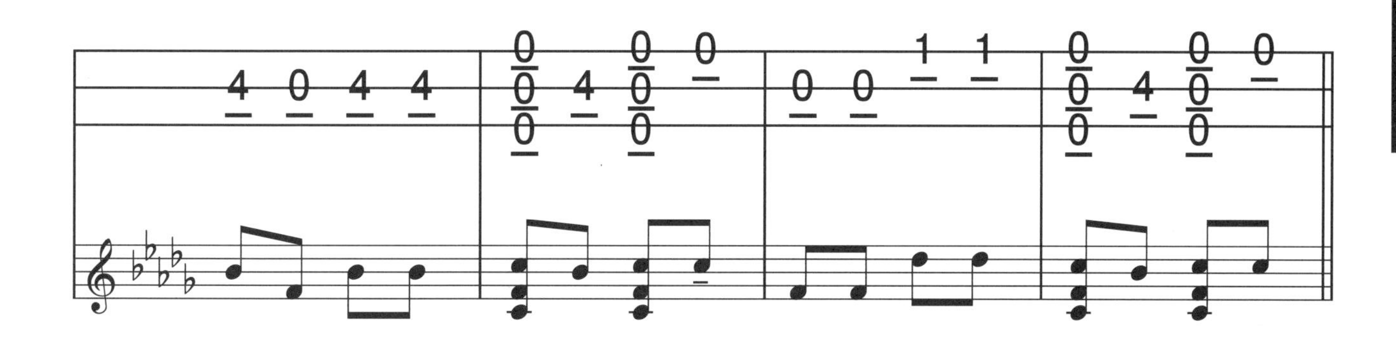

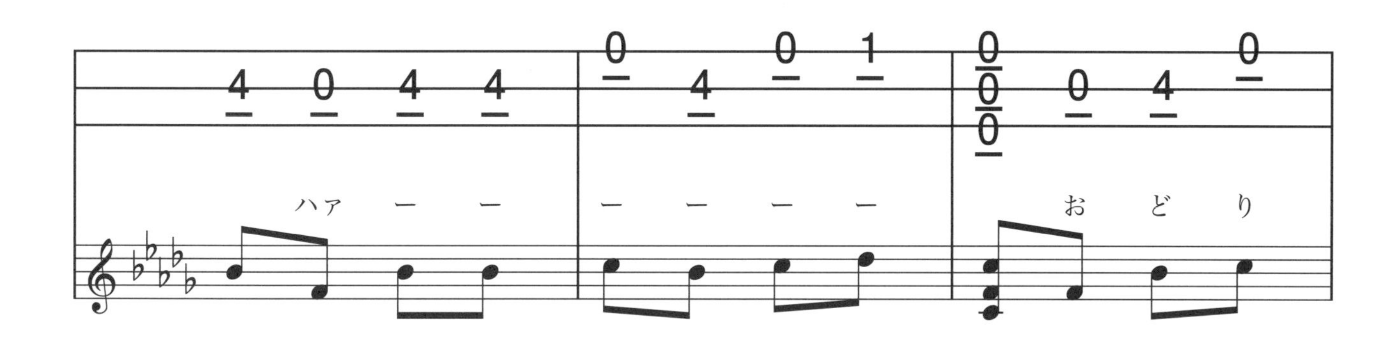

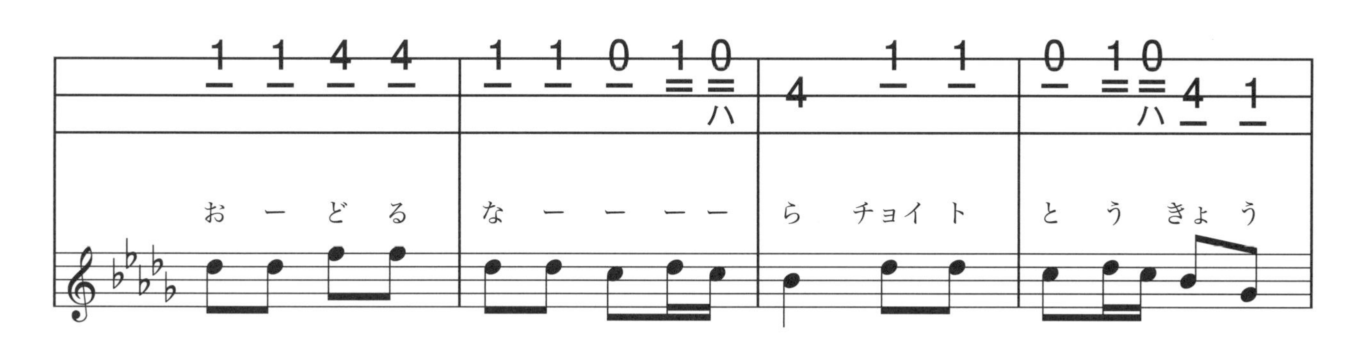

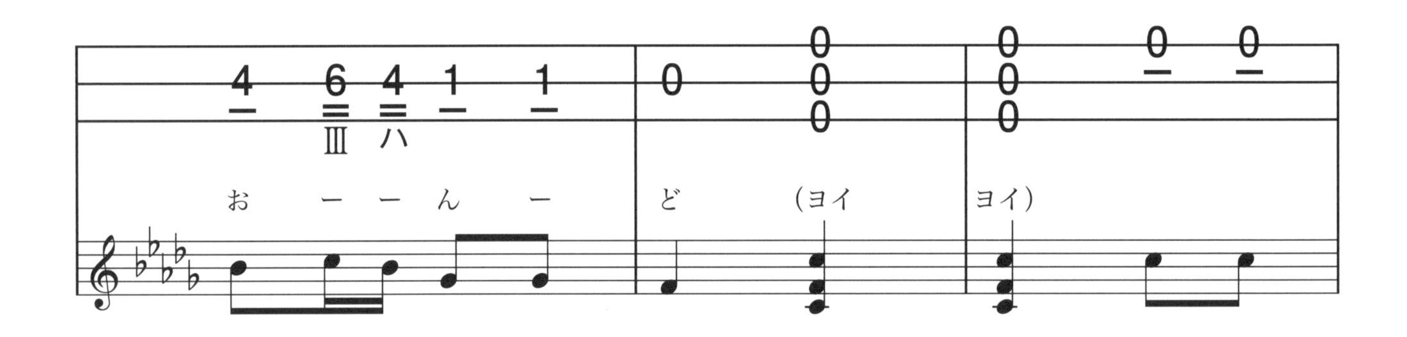
お ー ー ん ー
ど (ヨイ
ヨイ)

は な の
み ー や ー
こ ー ー ー

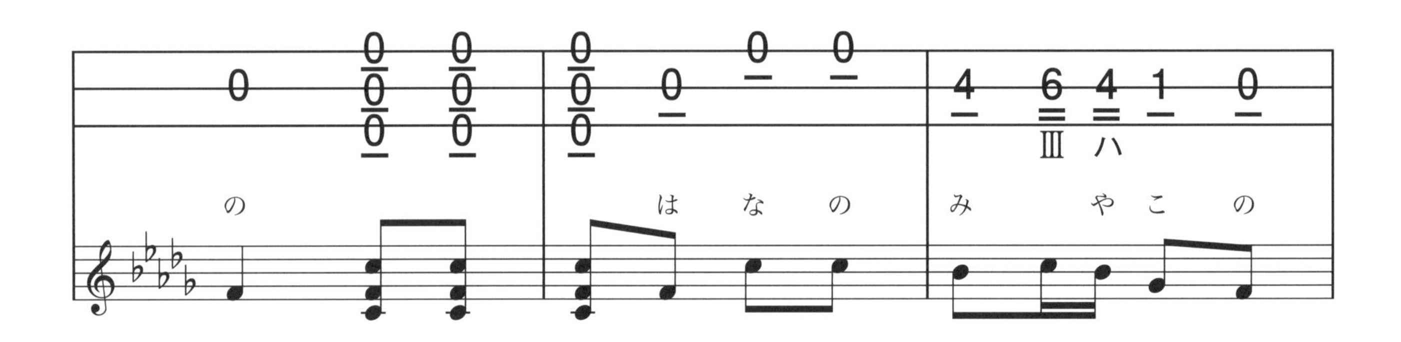
の
は な の
み や こ の

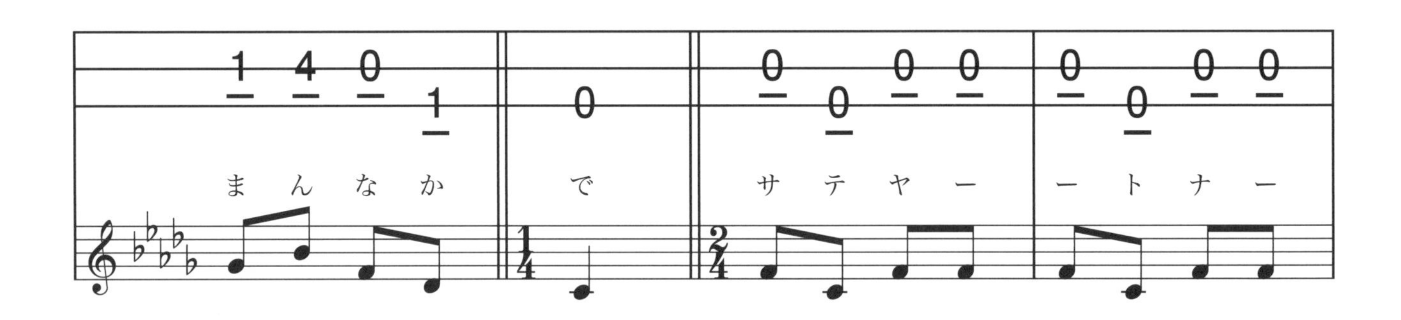
ま ん な か
で
サ テ ヤ ー
ー ト ナ ー

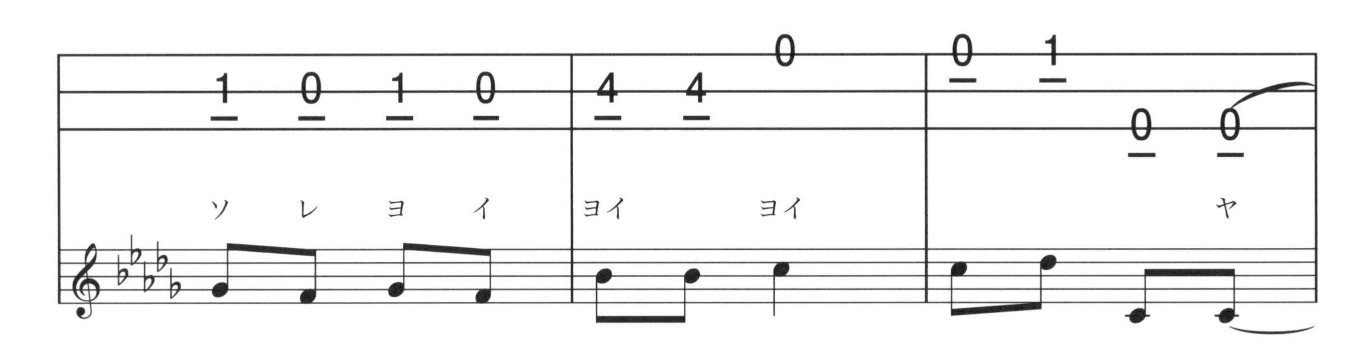
ソ レ ヨ イ
ヨイ ヨイ
ヤ

❒ 曲解説

もとは「丸の内音頭」という曲名で、日比谷公園の洋食屋「松本楼」の主人らが開催した盆踊り用に作られたものでしたが、やがてこれを東京市民全体で歌えるようにと「東京音頭」として歌詞を変え、日本全国の盆踊りで流れる東京の代表曲になりました。

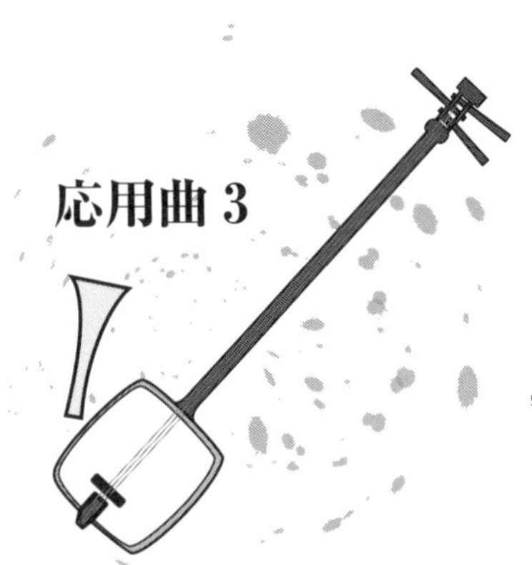

応用曲 3

ソーラン節

日本民謡

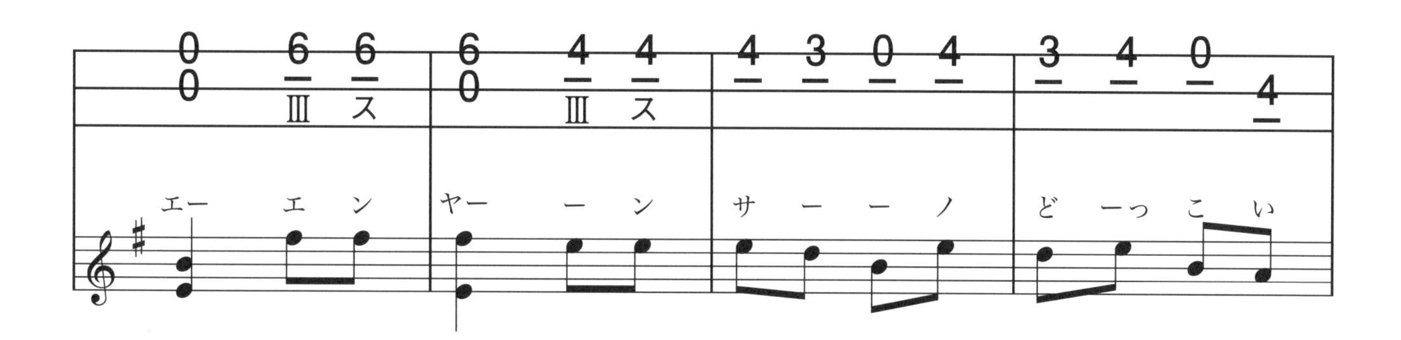

❒ 曲解説

魚の“ニシン”の卵を獲るところから、卵（数の子）を棒で打ち落す、過酷な労働に耐えるための4つの“掛け声”が発祥です。

1. ニシン漁へ出かける際の「舟漕ぎ音頭」
2. ニシンが入っている網を持ち上げる際の「網起こし音頭」
3. ニシンを大きなタモ網で船に揚げる「沖揚げ音頭」
4. 網の中に産み付けられている卵を叩き落とす「子叩き音頭」

以上が一連の流れとなり、ソーラン節は3の沖揚げをする際の掛け声が歌詞になっている「沖揚げ音頭」です。

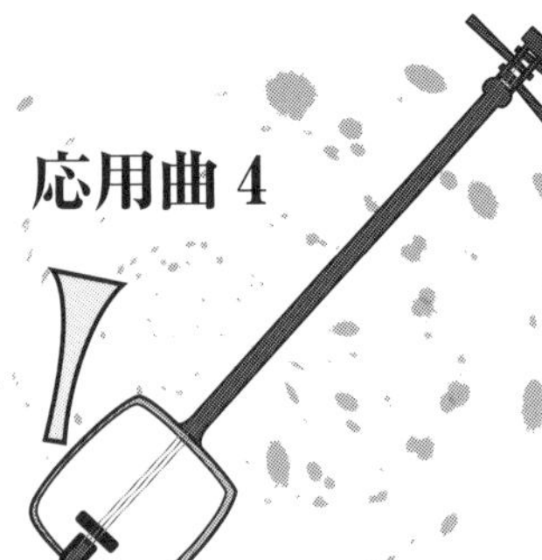

応用曲4

黒田節

福岡県民謡

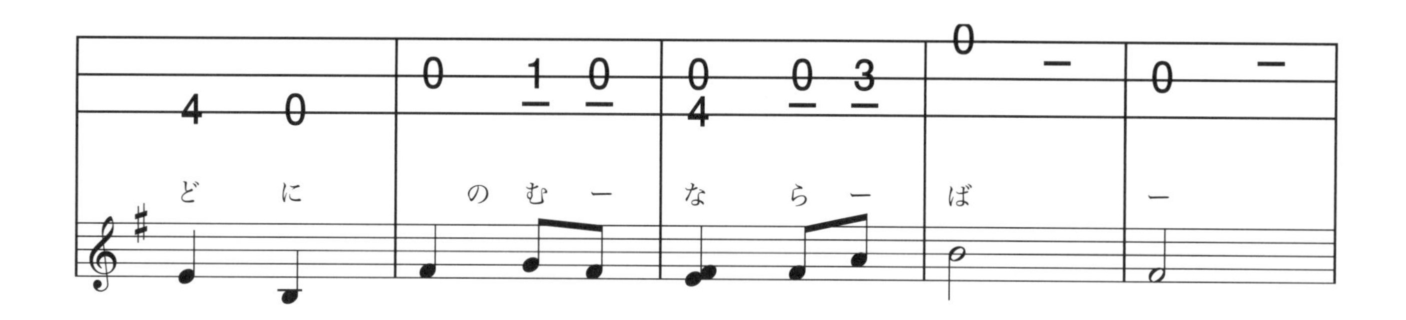

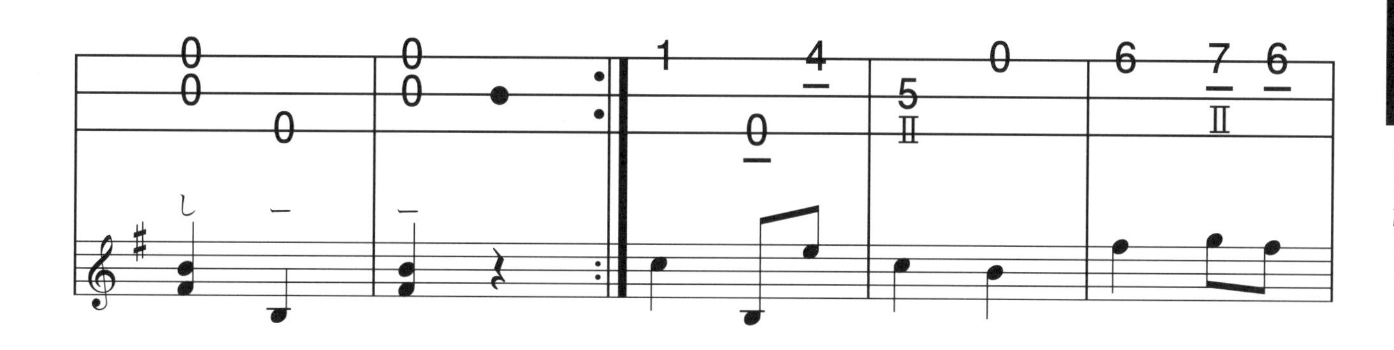

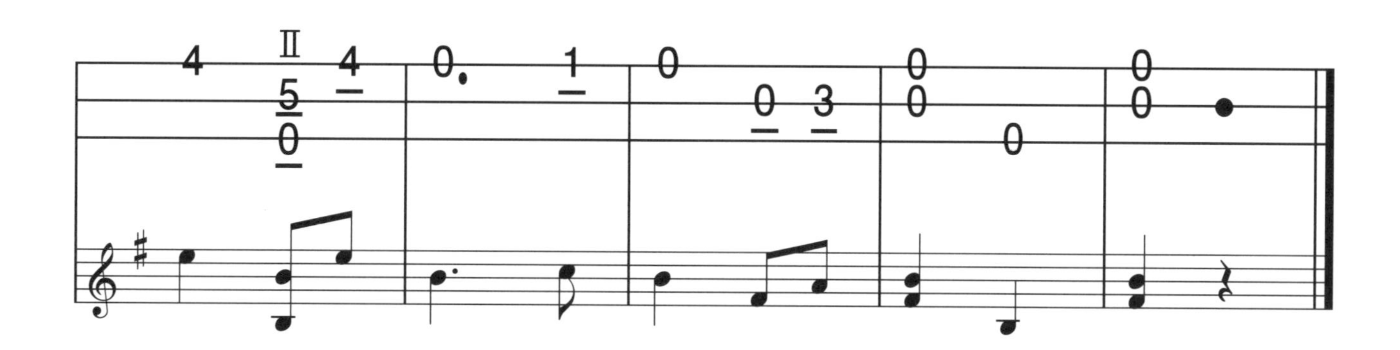

❒ 曲解説

九州福岡地方で歌われる民謡です。豊臣秀吉に仕える福島正則に「この盃の酒を全て飲めば何でもくれてやる」と言われ、黒田藩の母里太兵衛が正則の面前で驚く大きさの盃に入った酒を見事飲み干し、正則が所有していた天下の名槍・日本号をもらい受けたときの歌です。その際に周りの人が、さすがは黒田武士と言った「黒田武士」の部分が現代でも伝わっている民謡「黒田節」の由来となりました。

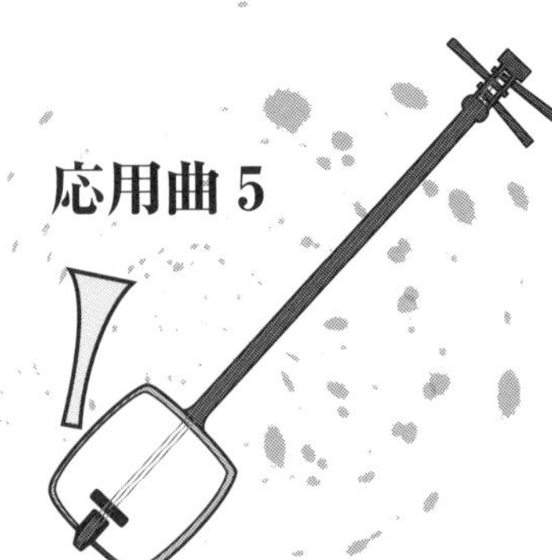

応用曲 5

山中節

日本民謡

❐ 曲解説

日本三大民謡のひとつと数えられる「山中節」は、元禄の頃から唄われ始めたと伝えられています。

石川県江沼郡山中温泉を中心に唄われる三味線調の座敷歌で、日本海を往来した加賀の北前船の船頭さんが習い覚えた北海道の松前追分や江差追分をお湯に浸かって口ずさんだことによる影響で変化し、それを聞いた浴衣べが山中なまりで真似たのが「山中節」の始まりと言われています。

応用曲 6

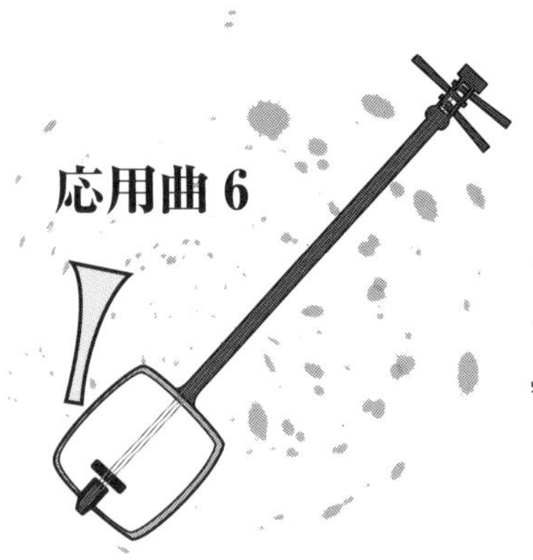

花

作詞・作曲：喜納 昌吉
編曲：千葉登世

❒ 曲解説

作者の喜納昌吉さんが高校生の時、東京五輪の閉会式を見て選手たちが人種や国籍を超え、祝祭の喜びを分かち合う様子をアナウンサーが「泣いています、笑っています」と伝えている場面を見て平和であることの尊さに感動し、当時の自分の気持ちを作詞作曲した曲です。

応用曲 7

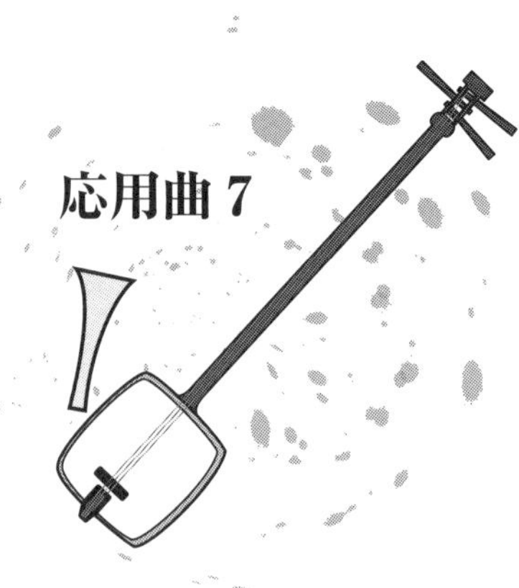

涙そうそう

作曲：BEGIN

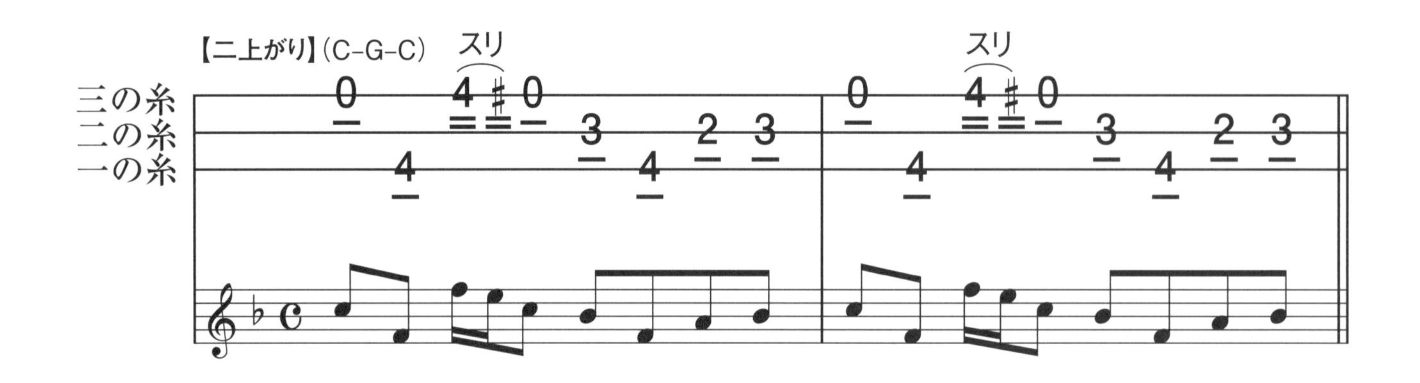

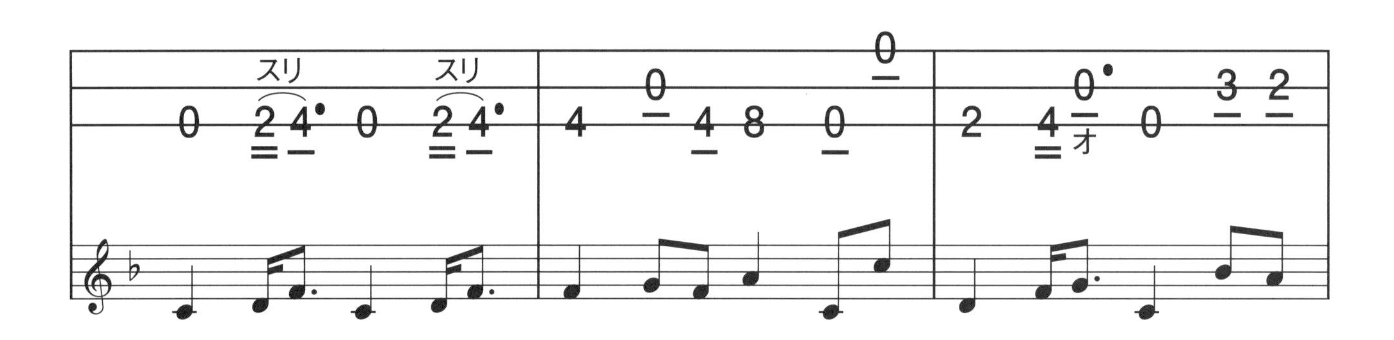

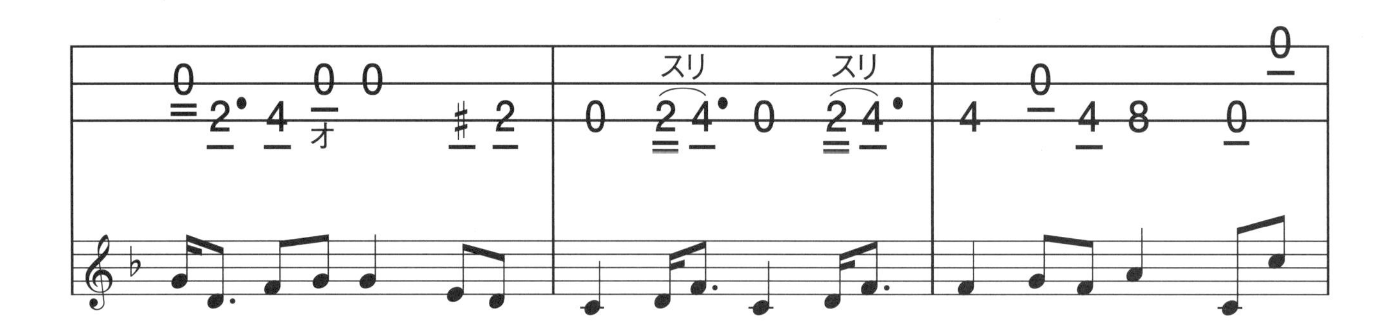

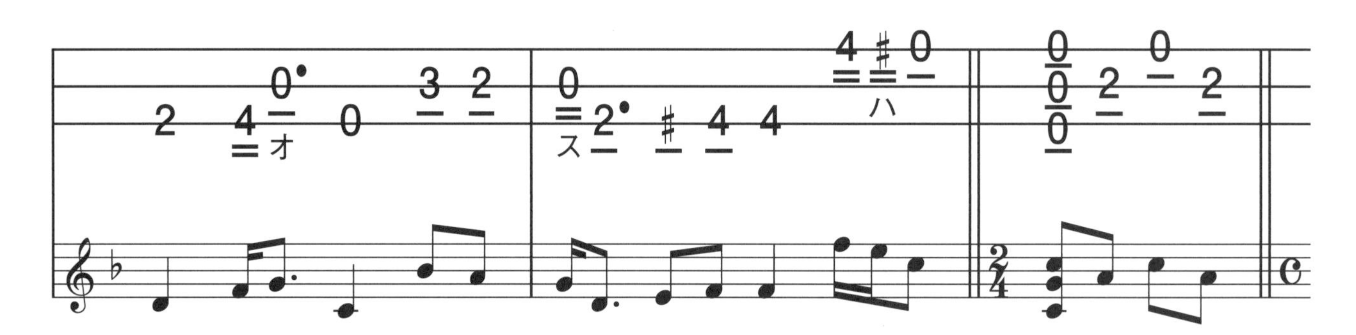

❏ 曲解説

森山良子さんとBEGINがライブをきっかけに意気投合し、森山良子さんががBEGINさんに曲を依頼したことから作られた曲です。若くしてこの世を去った兄を想い一晩で森山さんが歌詞を書き上げ、堪えていた涙がぽろぽろとこぼれ落ちる心情を綴った曲です。

応用曲 8

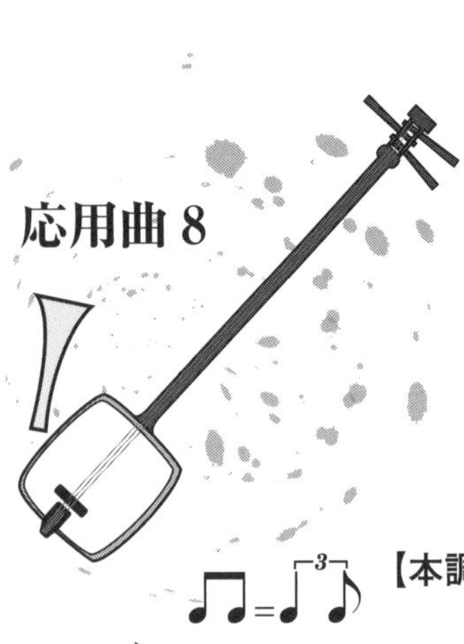

津軽甚句

青森県民謡

【本調子】(C–F–C)

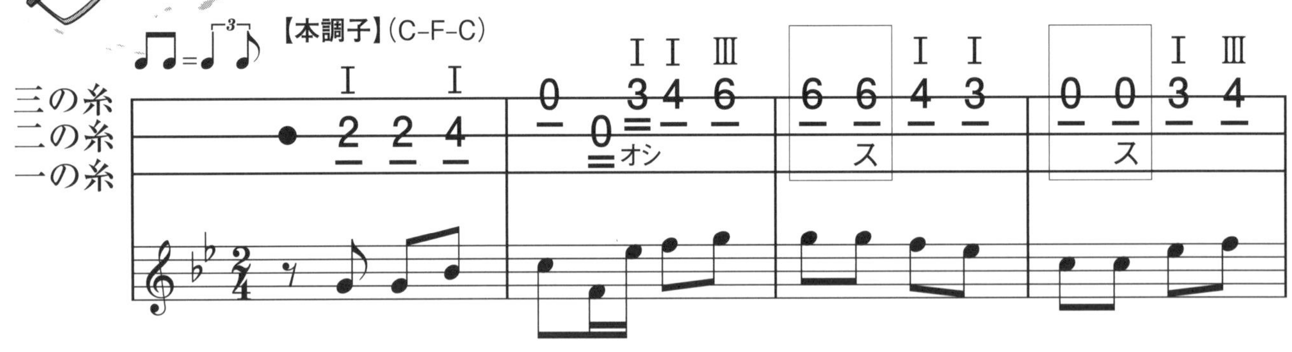

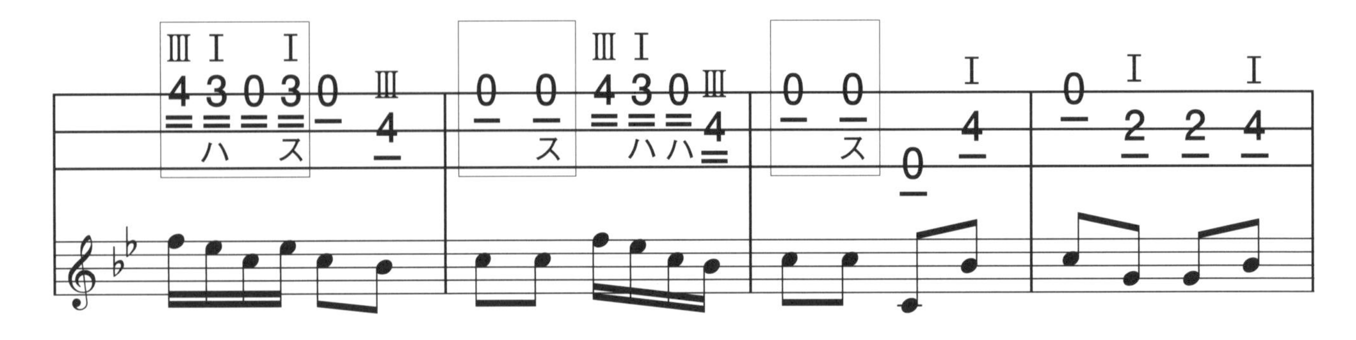

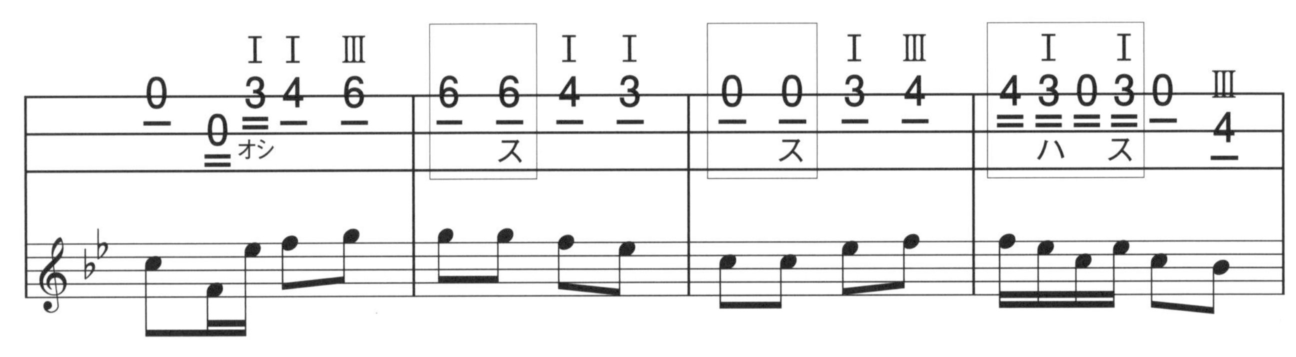

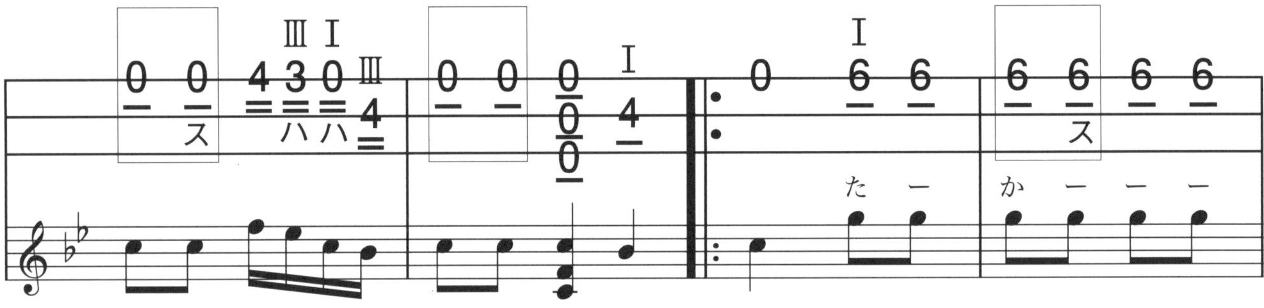

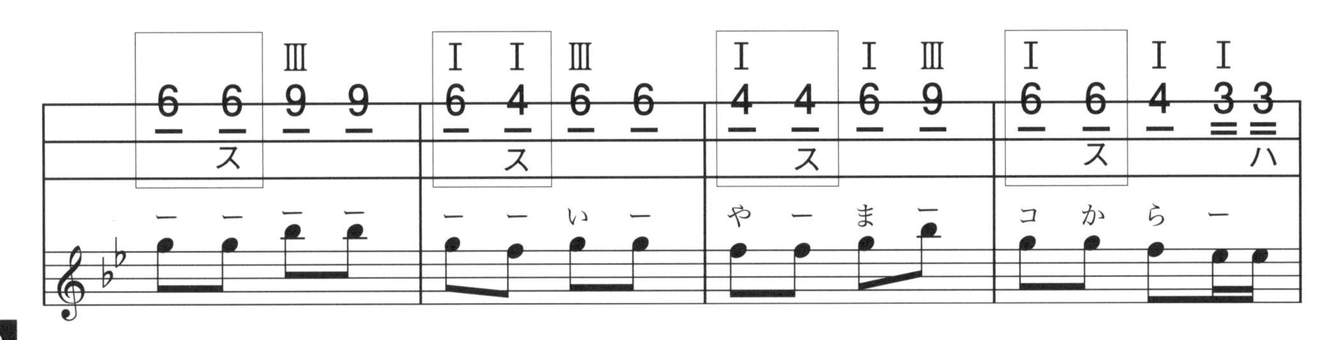

❒ 曲解説

津軽半島の西側、七里長浜の砂丘のつきたところにある港町・鰺ヶ沢の盆踊り唄「鰺ヶ沢甚句」が、弘前方面に移入して「津軽甚句」になり、北海道に渡ると「いやさか音頭」になりました。もとは「どだればち」と呼び、津軽方言を巧みに交えて唄う弘前市一帯の盆踊り唄です。

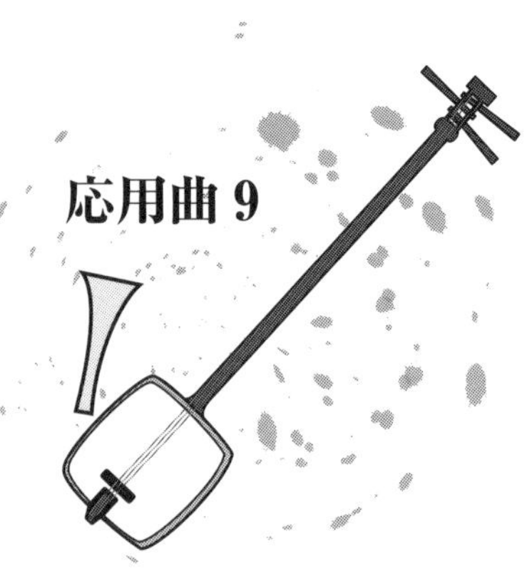

応用曲 9

万讃歌

葉加瀬太郎　　作曲：葉加瀬太郎

※「万讃歌」はヴァイオリンの旋律がとても美しい曲です。ここでは他楽器とセッションを楽しめるよう、ピアノの伴奏譜を添えました。三味線は勿論、尺八・お琴・二胡 etc…是非お仲間と演奏をお楽しみください。

B
オシ
G
A
Bm7
オシ
オシ
D
mf
C
GM7(9)
A6(9)
Bm7(9)
Bm7/A
D
mf
D
スリ
Bm7
F♯m7/A
Gadd9
A
F♯m7
Bm7

第四章 応用編
曲を弾きましょう

スリ
GM7
D/F♯
GM7(9)
Aadd9
F♯m7
Bm7(9)
f
E
8va
GM7(9 13)
A6(9)
(8va)
オシ
(ハ)
1.
D6(9)

2.
F
8va
ff
Bm
Bm7/A
G
B♭M7(9 13)
C6(9)
Dm7(9)
C/E
Dm
F/C
F6(9)
スリ
オシ
(8va)

❐ 曲解説

「万讃歌」は、2013 年に開催された葛飾北斎の「富嶽三十六景」「諸国瀧廻り」の全作品を最新のデジタル技術を用いて表現した 葛飾北斎リ・クリエイト展「あっぱれ北斎！光の王国展」のテーマ音楽として作曲されました。おごそかで華やかさがある楽曲のため、和装結婚式の定番曲として人気です。

奏法の「ウチ」が困難な場合は、「スクイ」でも良いでしょう。転調部 F は一音目を大切にしっかりと立ち上げましょう。エンディング G はイメージを膨らませ「曲引き」にチャレンジしてみましょう。

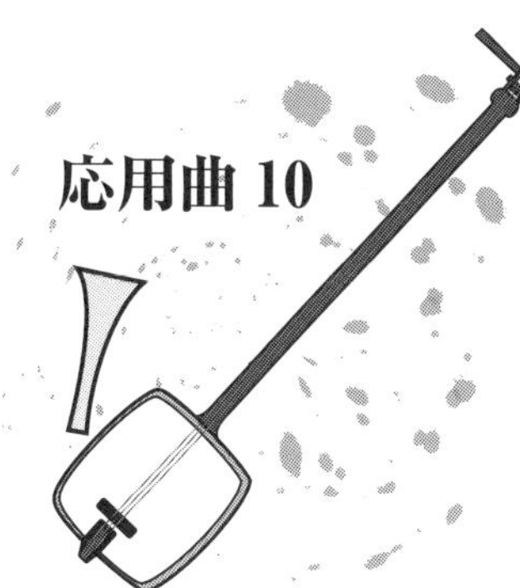

応用曲 10

絆ノ奇跡 「鬼滅の刃」刀鍛冶の里編より

MAN WITH A MISSION × milet　　作曲：Jean-Ken Johnny

D
オシ
ハ ウ
1. 3.
スリ
to Φ
E
F
2.
G

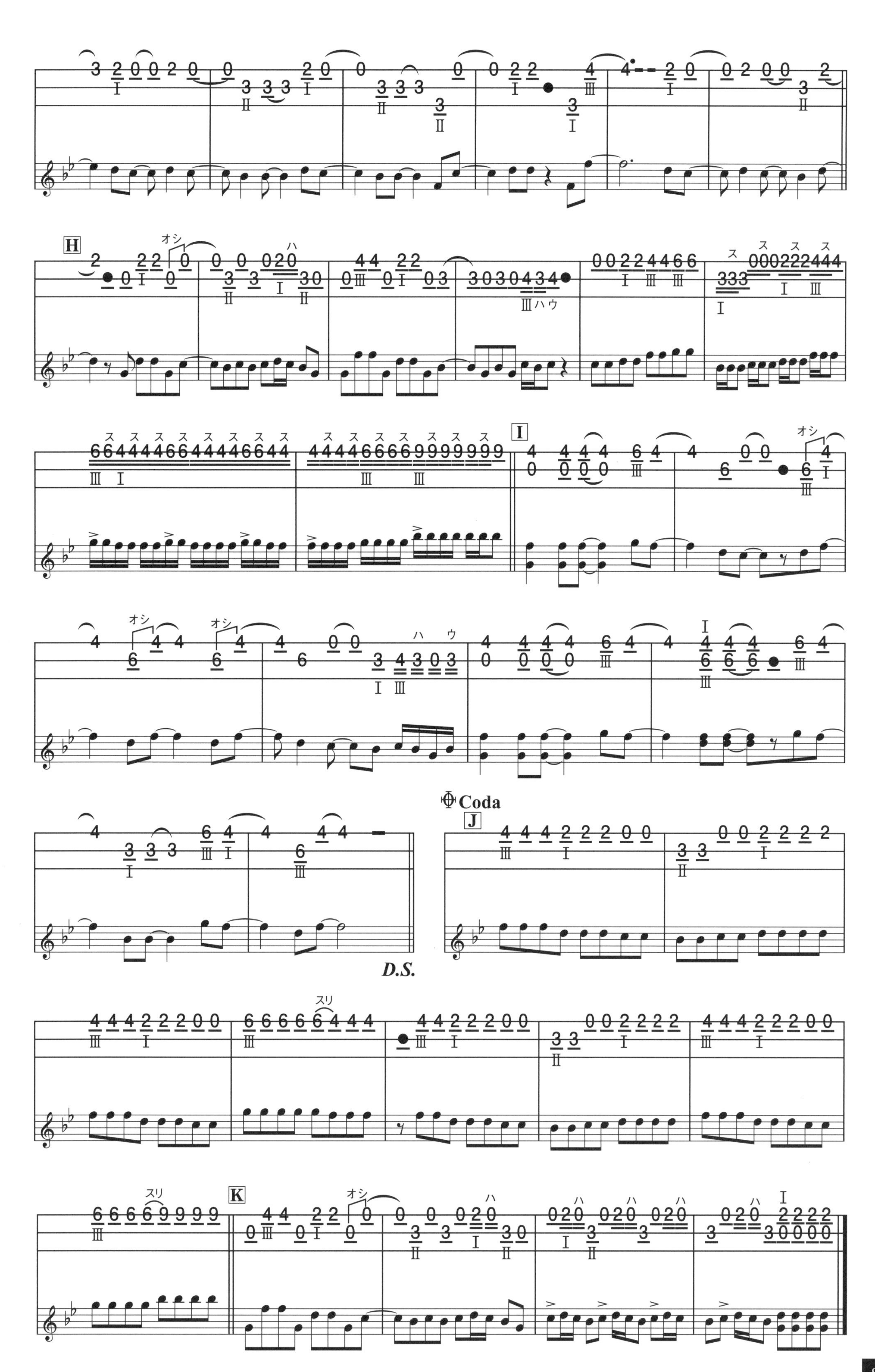
H
オシ
ハ
ハウ
ス
I
Coda
J
D.S.
スリ
K

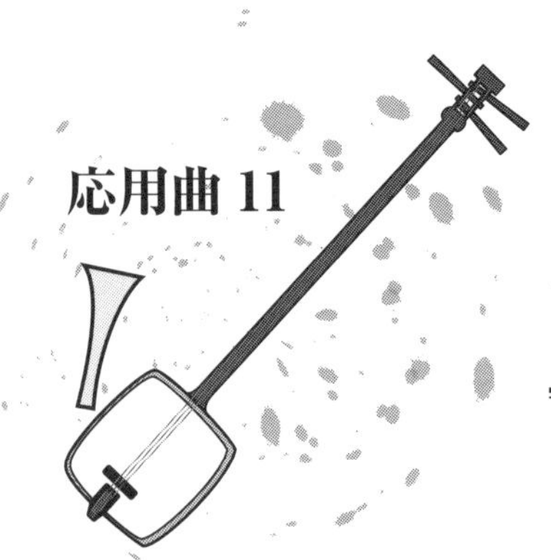

応用曲 11

津軽じょんがら節六段

青森県民謡

【二上り】(D–A–D)

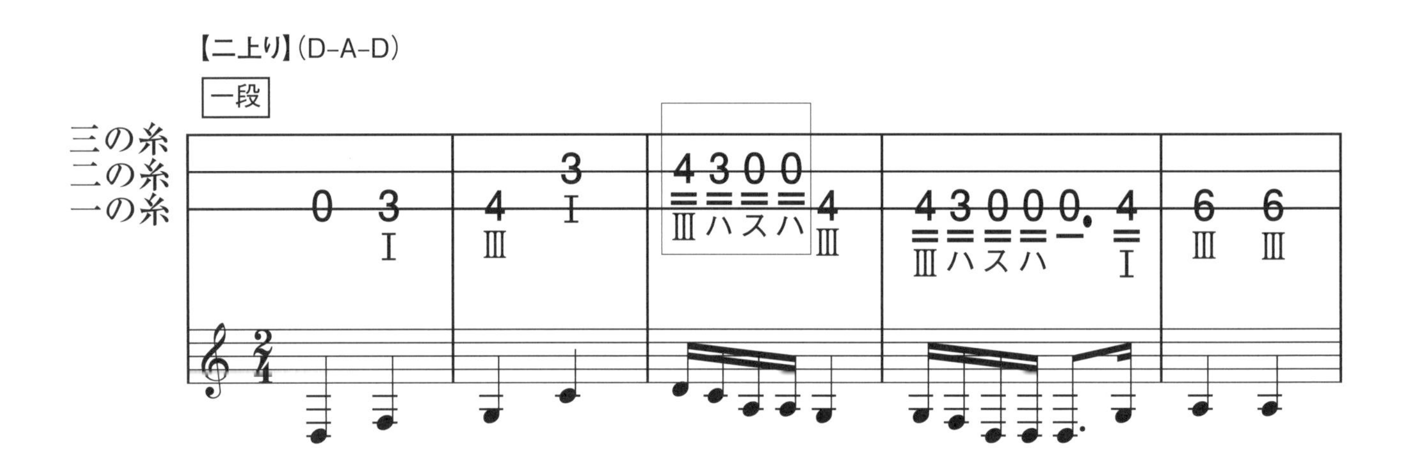

【半間】

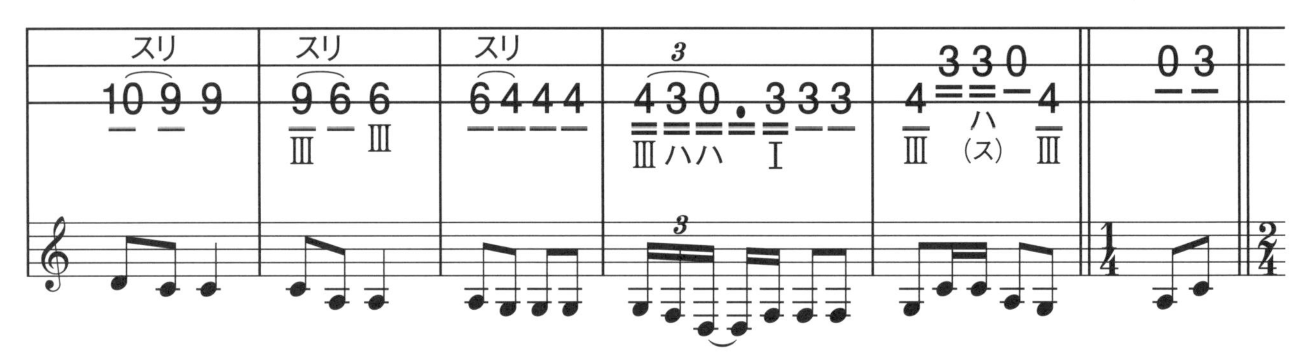

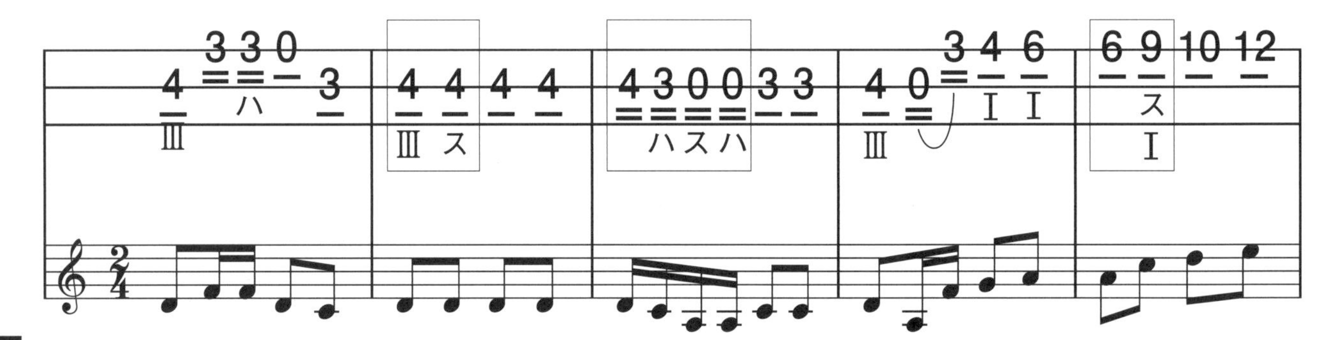

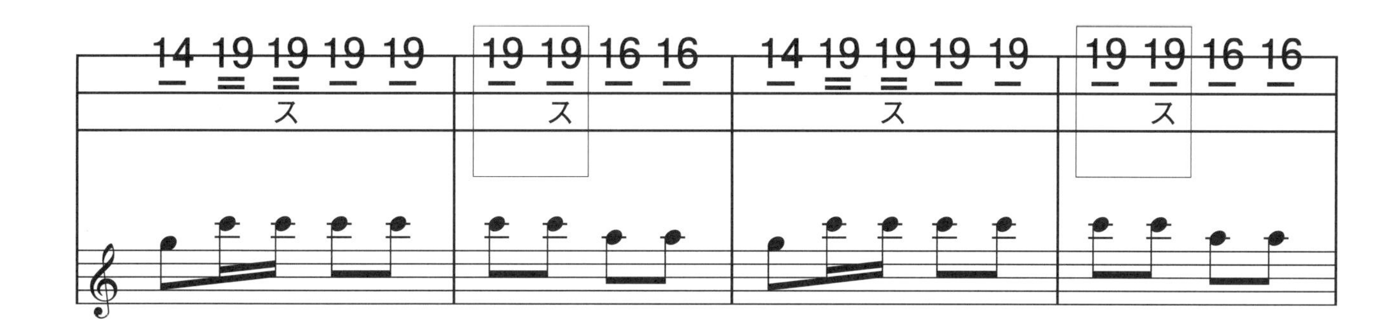

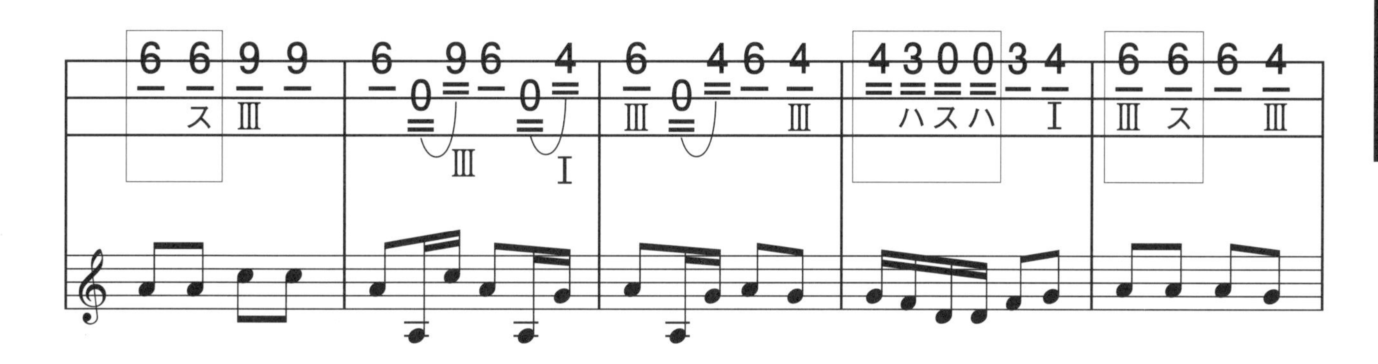

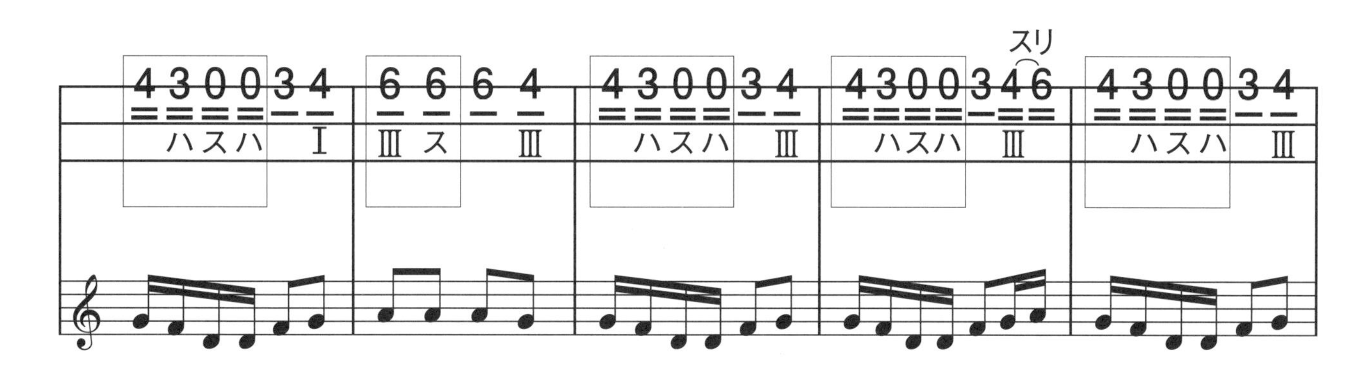

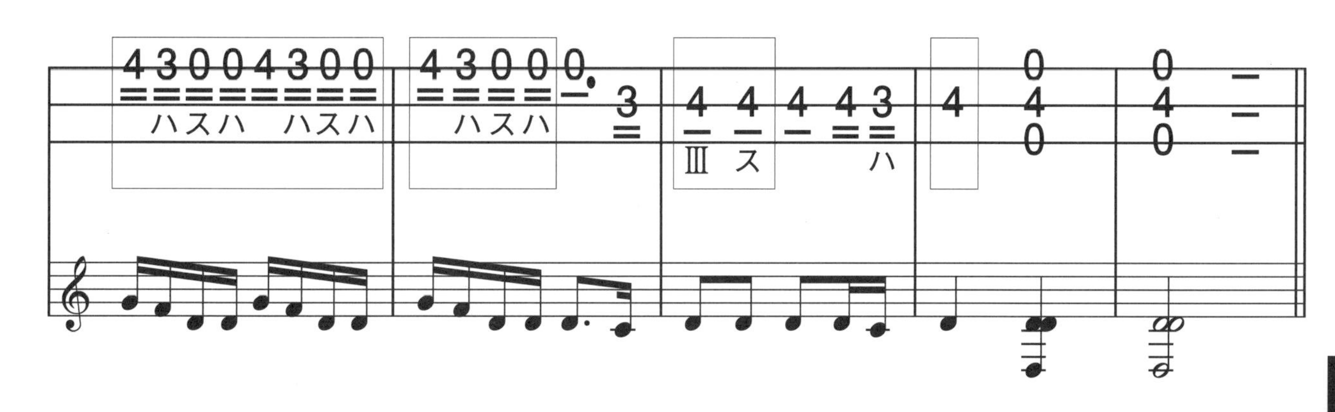

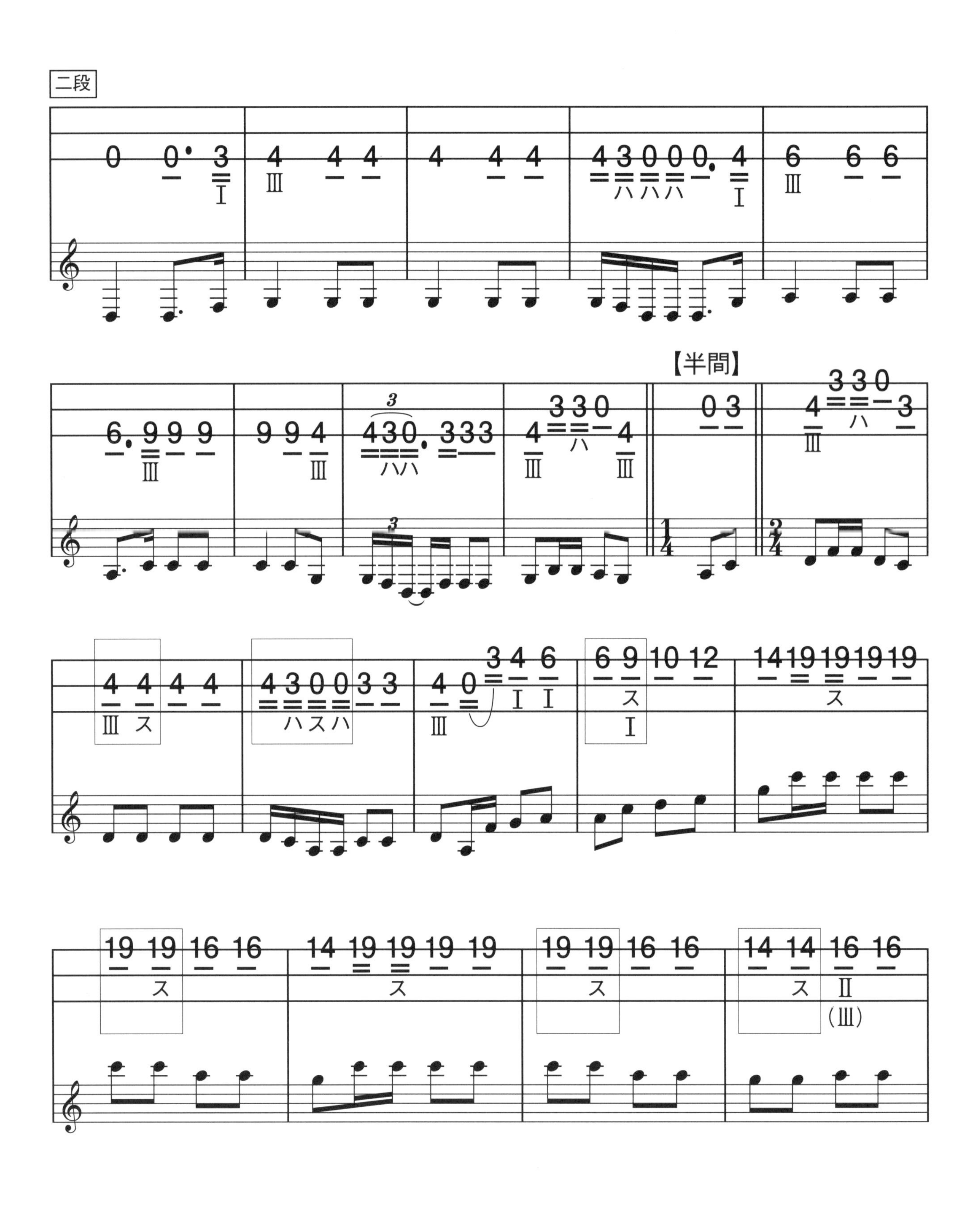
二段
【半間】

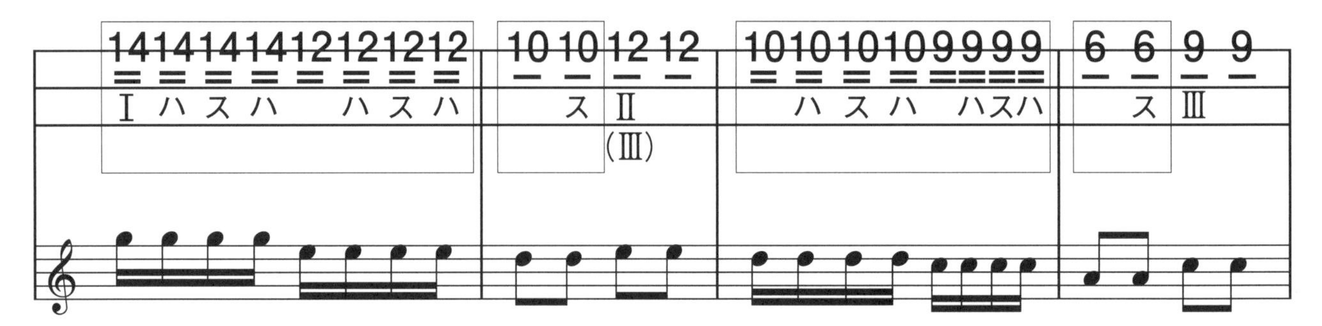

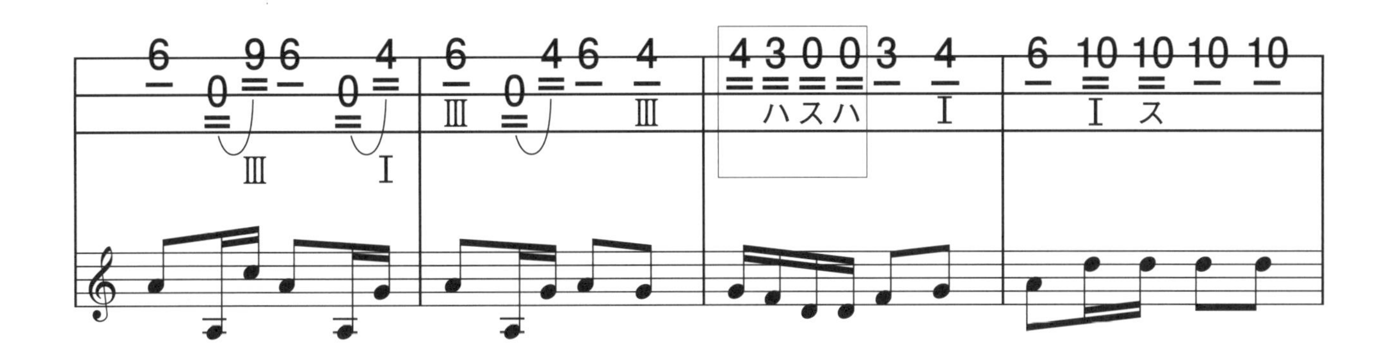

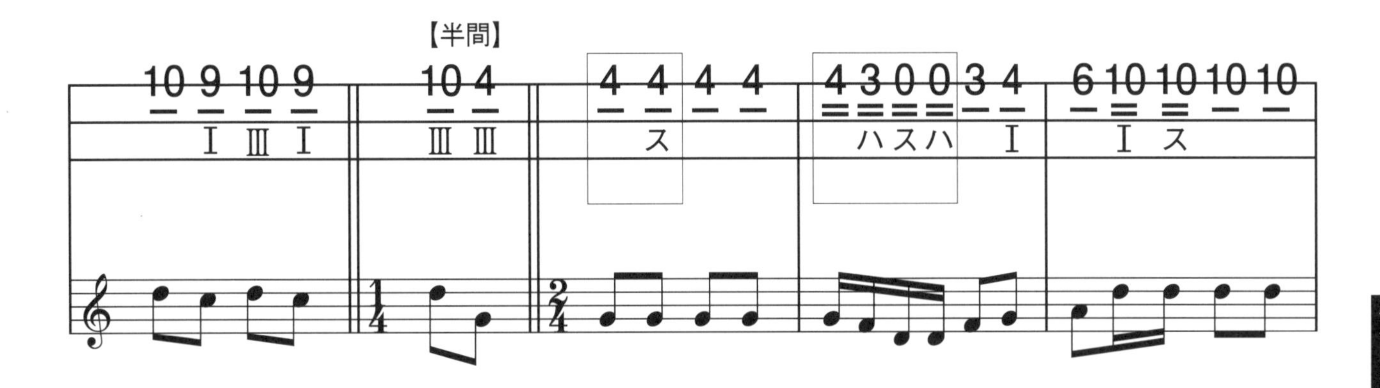
【半間】

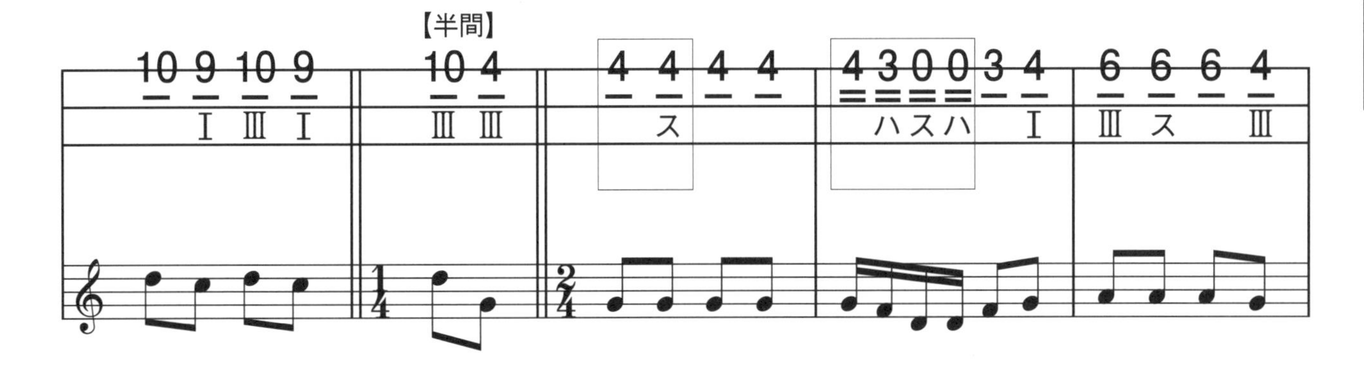
【半間】

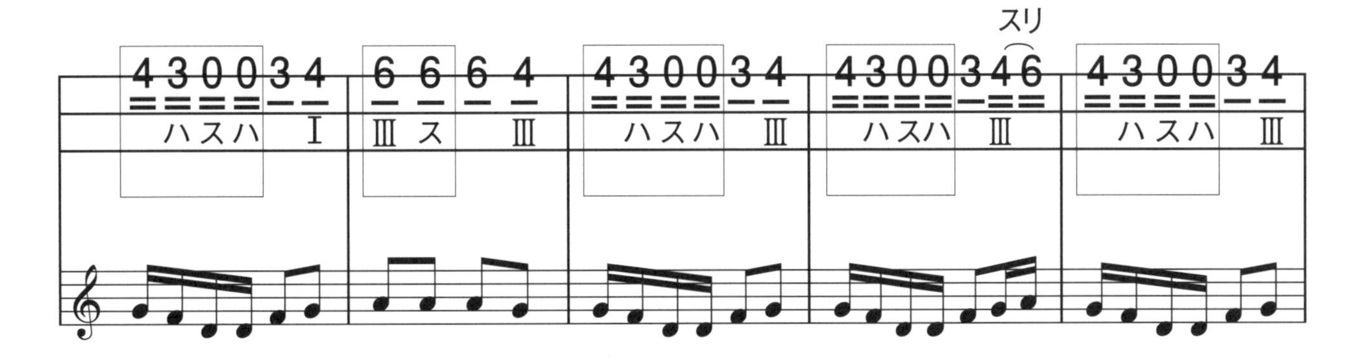
スリ

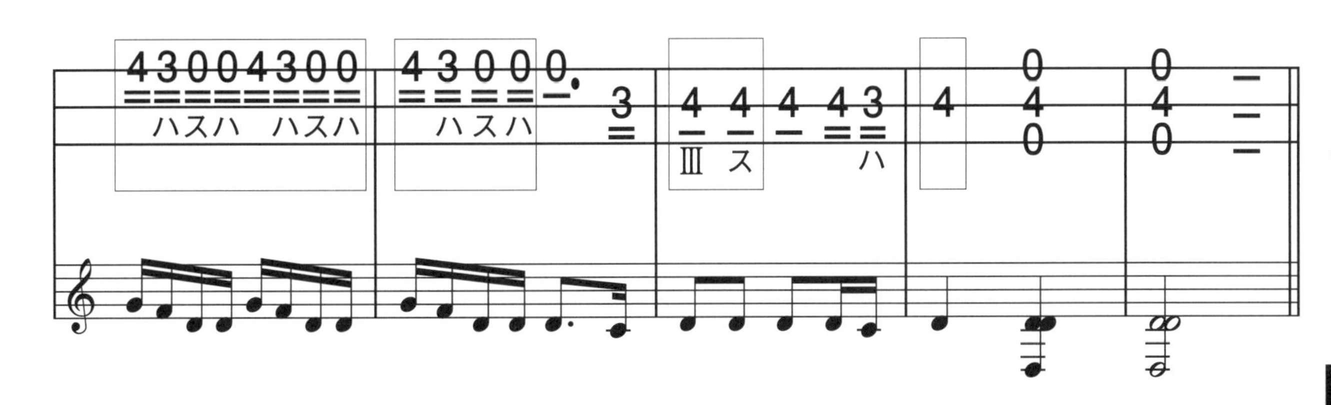

三段

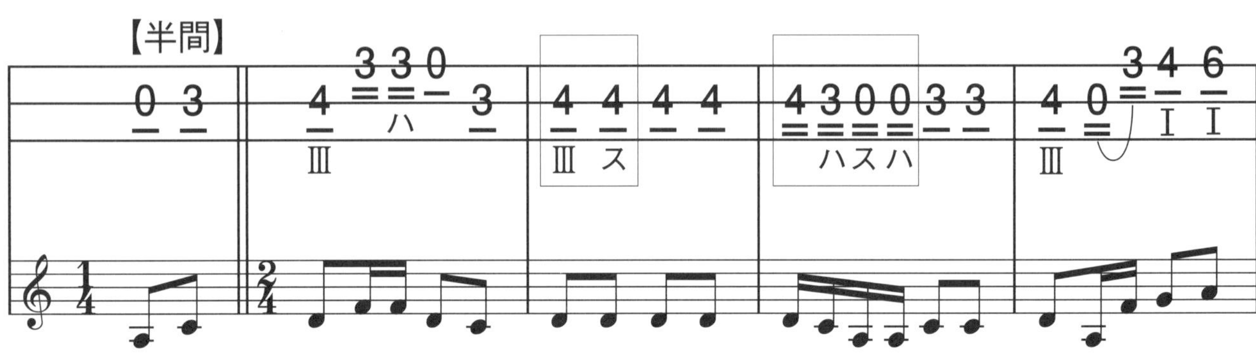
【半間】

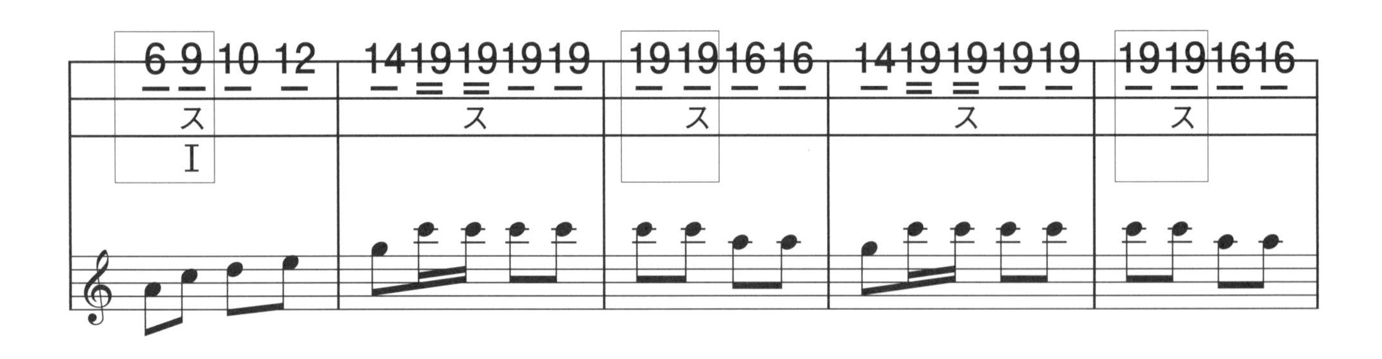

ス
ハスハ

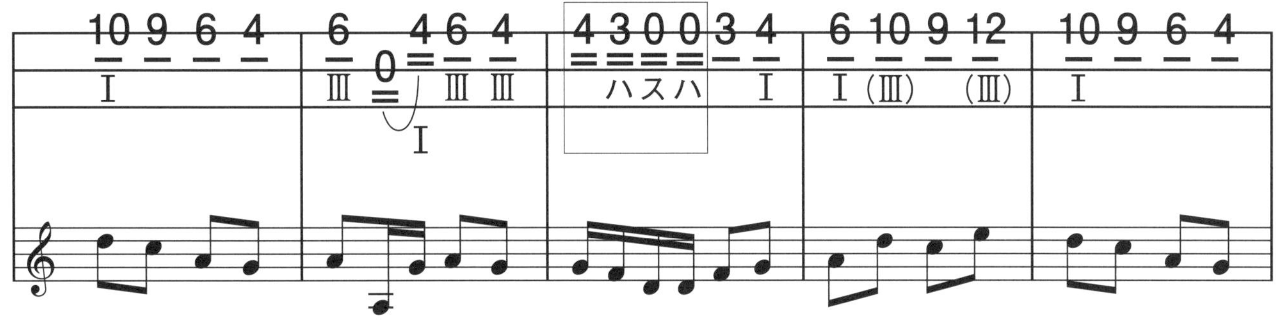
ハスハ

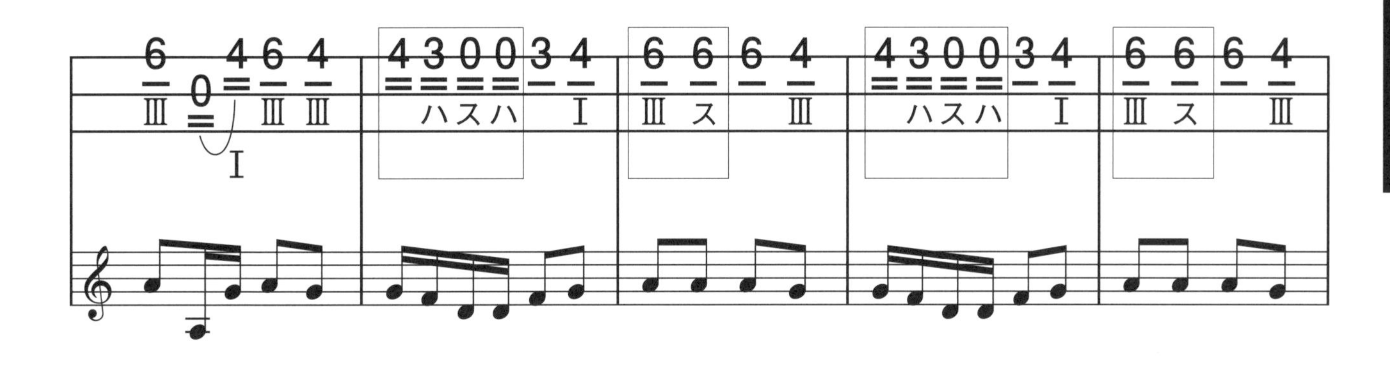
ハスハ
ス
ハスハ
ス

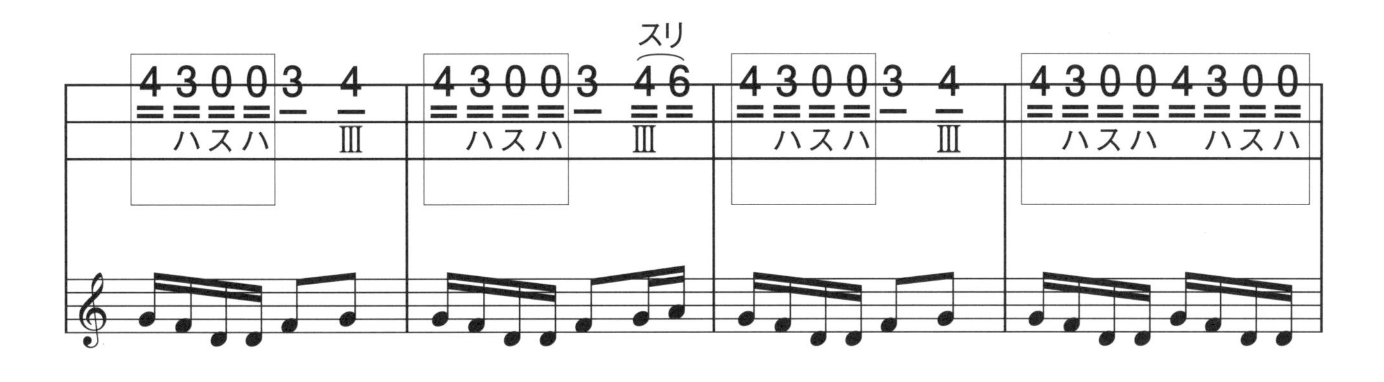
ハスハ
スリ
ハスハ
ハスハ
ハスハ ハスハ

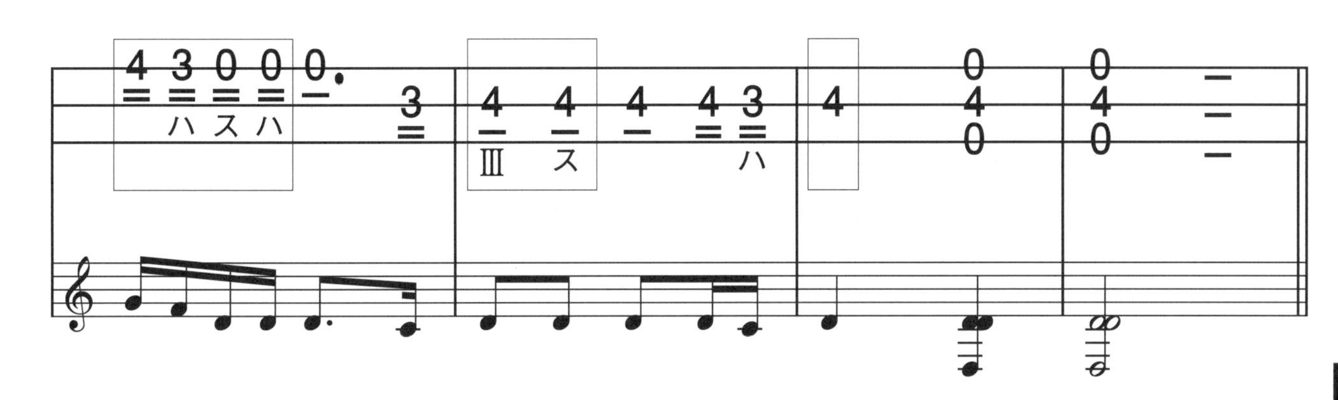
ハスハ
ス
ハ

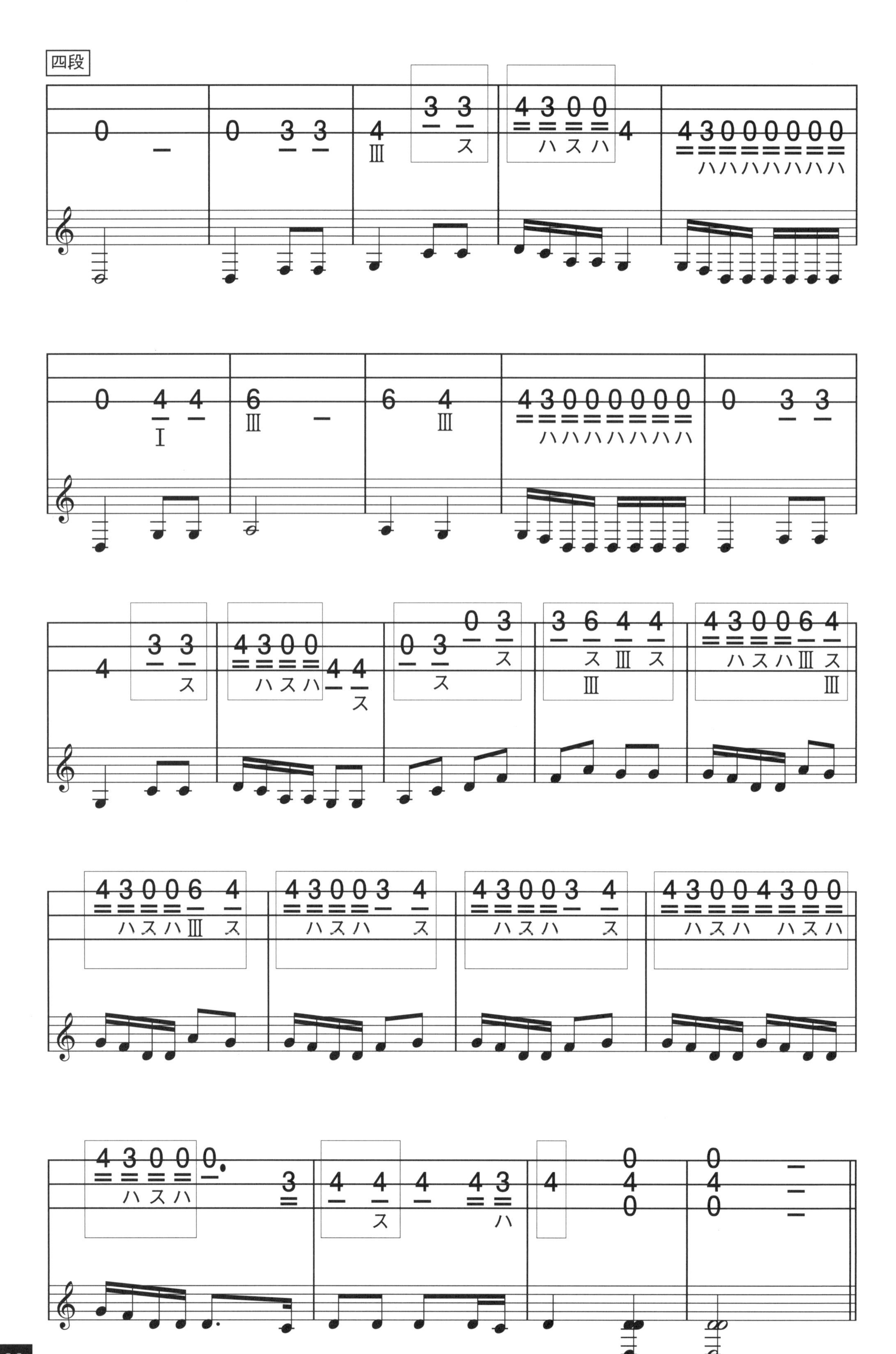
四段

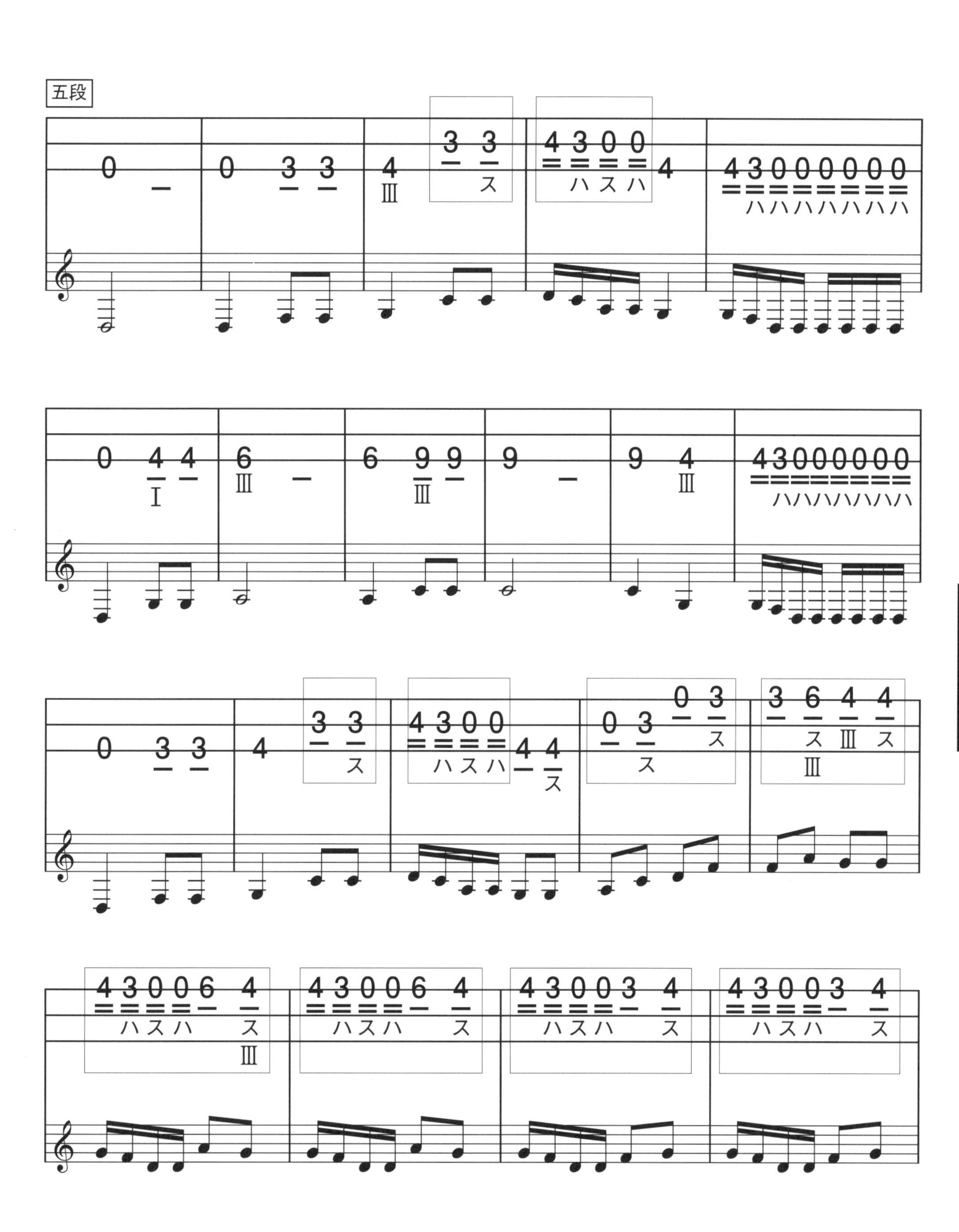
五段

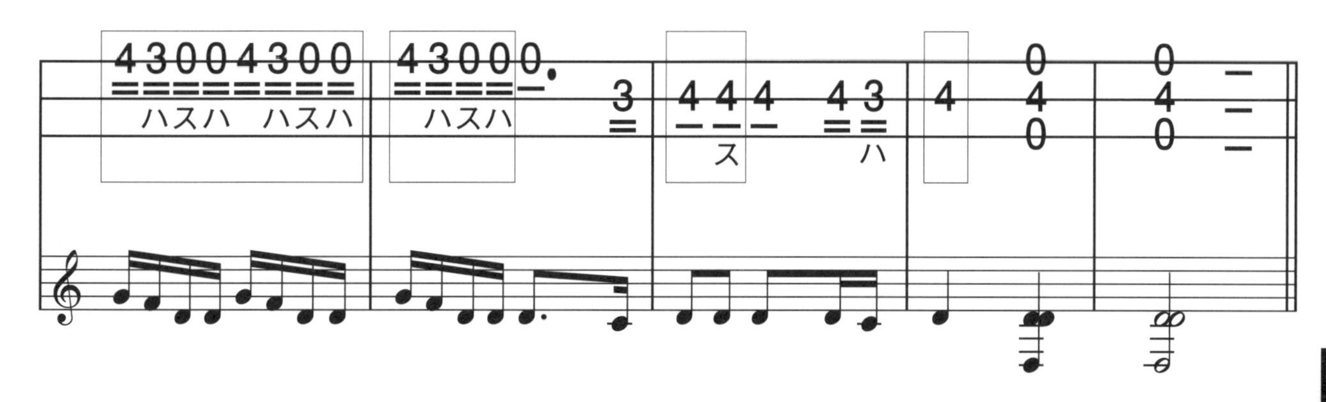

第四章 応用編
曲を弾きましょう

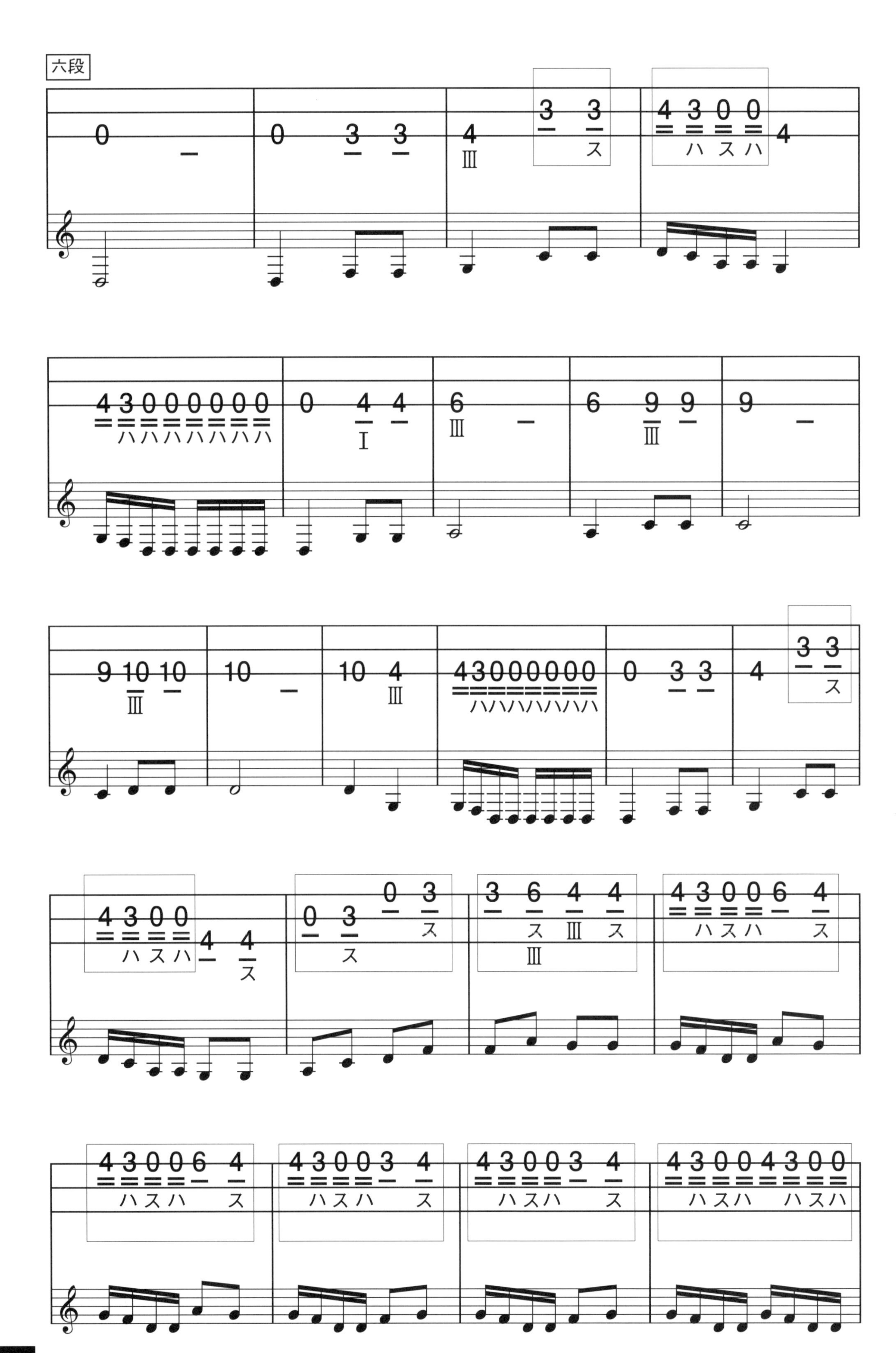
六段

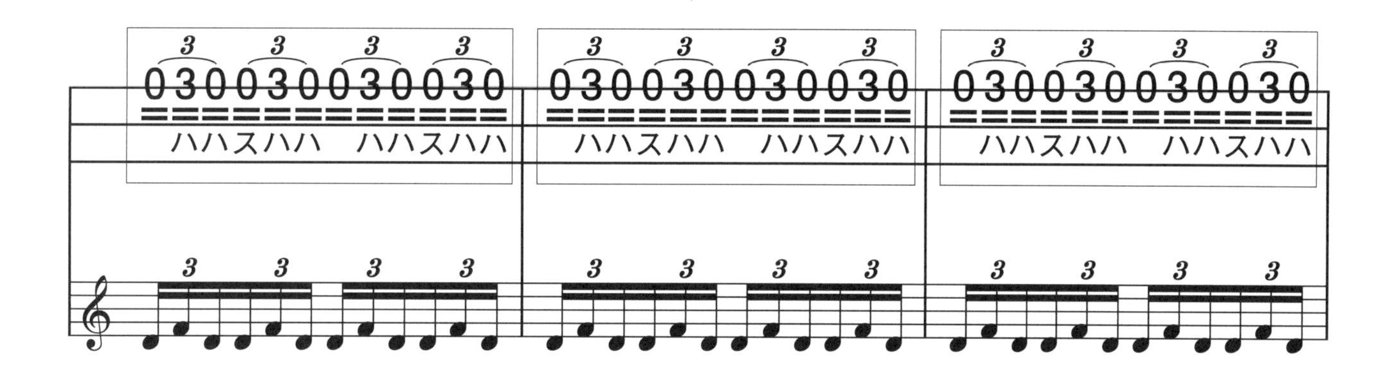

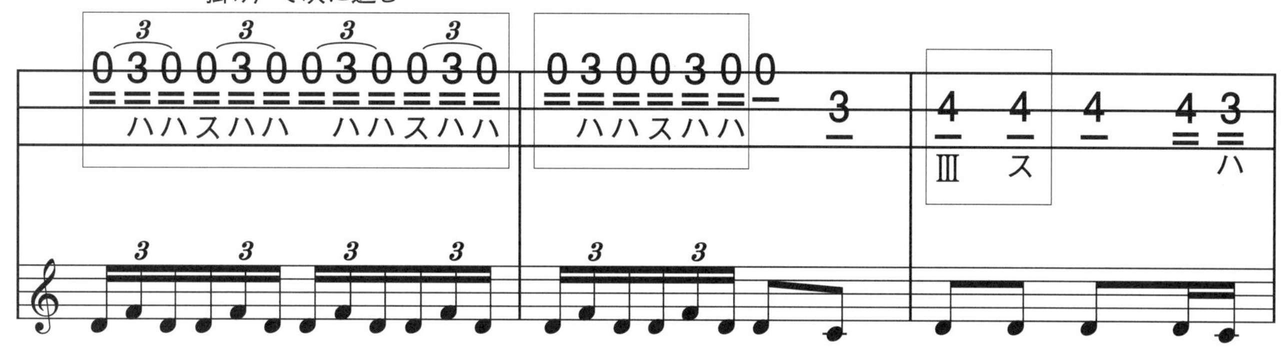

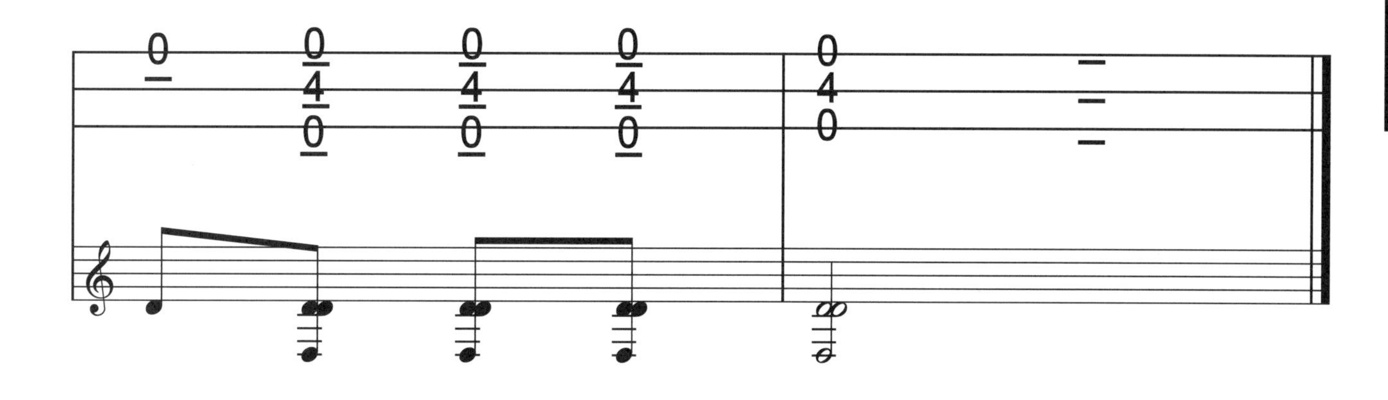

❐ 曲解説

六段は、合奏用のじょんがら節です。実際は一段から十段まであります。全ての演奏方法は流派により違いますが、基本的なじょんがら節を組み合わせられた六段は殆どの人が学習する曲で、流派を問わず合奏できる位置付けとなっています。

column 日本の民謡と祭り

第４章「応用編」では、様々な民謡や曲を紹介しました。ここでは全てではありませんが、各地の民謡と祭りを紹介します。

●民謡

①ソーラン節（北海道）
②江差追分（北海道）
③津軽じょんがら節（青森県）
　津軽あいや節（青森県）
　青森ねぶた獅子（青森県）
④秋田おばこ（秋田）
⑤花笠音頭（山形県）
⑥佐渡おけさ（新潟県）
⑦コキリコ節（富山県）
　麦屋節（富山県）
⑧加賀長持唄（石川県）
⑨三国節（福井）
⑩郡上節（岐阜県）
⑪淡海節（滋賀）
⑫祇園囃子（京都府）
⑬灘酒屋唄（兵庫）
⑭貝殻節（鳥取県）
⑮音戸の舟唄（岡山県）
⑯安来節（島根県）
⑰音戸の舟唄（広島県）
⑱男なら（山口県）
⑲黒田節（福岡県）
⑳佐賀箪笥長持唄（佐賀県）
㉑島原の子守歌（長崎県）
㉒白杵米とぎ唄（大分県）
㉓五木の子守歌（熊本県）
㉔刈干切唄（宮崎県）
㉕鹿児島おはら節（鹿児島）
㉖嘉手久節（沖縄県）

㉗南部牛追唄（岩手県）
㉘長持唄（宮城県）
　斉太郎節（宮城県）
㉙会津磐梯山（福島県）

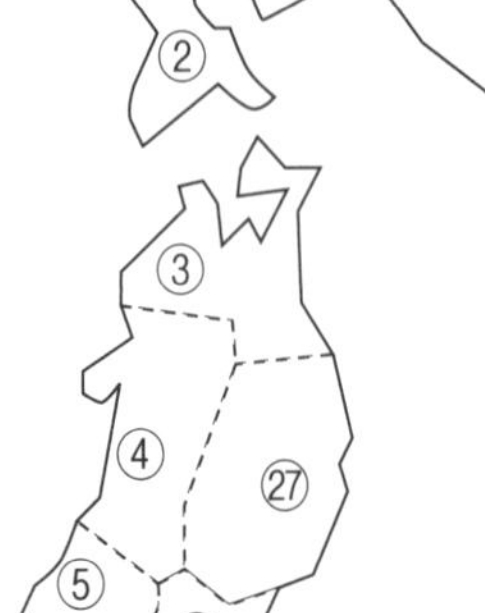

㉚足尾石刀節（栃木県）
㉛八木節（群馬県・栃木県）
㉜磯節（茨城県）
㉝銚子大漁節（千葉県）

㉞秩父音頭（埼玉県）
㉟神田囃子（東京都）
　東京音頭（東京都）
㊱箱根馬子唄（神奈川県）
㊲縁故節（山梨県）
㊳小諸馬子唄（長野県）
　木曽節（長野県）
㊴ちゃっきり節（静岡県）
㊵岡崎五万石（愛知県）
㊶伊勢音頭（三重県）
㊷吉野木挽き唄（奈良県）
㊸串本節（和歌山県）
㊹河内音頭（大阪府）
㊺阿波よしこの節（徳島県）
㊻金比羅船々（香川県）
㊼よさこい節（高知県）
㊽伊予節（愛媛県）

●祭り

・東日本
ねぶた祭り（青森県弘前市）
ねぶた祭り（青森県青森市）
黒石寺蘇民祭（岩手県奥州市）
神田祭（東京都千代田区）
隅田川七福神巡り（東京都墨田区）
深川八幡祭り（東京都江東区）
三社祭（東京都　台東区）
隅田川花火大会（東京都）
芝大神宮だらだら祭り（東京都港区）
浜松祭（東京都台東区）
御柱祭り（長野県諏訪地方）
郡上踊り（岐阜県郡上市）

・西日本
高岡御車山祭（富山県高岡市）
祇園祭（京都東山区）
賀茂祭（京都市北区）
天神祭（日本各地の天満宮（天神社）
お水取り（奈良県東大寺二月堂）
岸和田だんじり祭（大阪府岸和田市）
阿波踊り（徳島県発祥の盆踊り）
和霊大祭（愛媛県宇和島市）
長崎くんち（長崎県長崎市）

□ 第五章 知識編

三味線に関する
役立つ知識

第五章　知識編　その一

棹の種類、形状について

❐ 棹の種類

過去には三味線の材料に「桜」、「杉」、「樫」を使用していたこともありますが、現在の主な材質は「**花梨**」、「**紫檀**」、「**紅木**」で、これらは用途に合わせて使い分けられています。一般的には、「**硬くて重みのあるもの**」が良い棹といわれていますが、硬さに柔軟性を備えていることが演奏に最適な振動を生み出すといわれています。

●花梨材

主にタイで産出される花梨材は、木質が粗雑で目が粗く紫檀や紅木に比べると柔らかい材質ですが、値段が安く狂いが少ないことから初心者用に適しています。木質が音響的に胴に適しており、お稽古用・演奏会用問わず基本的に三味線の胴は花梨でできています。

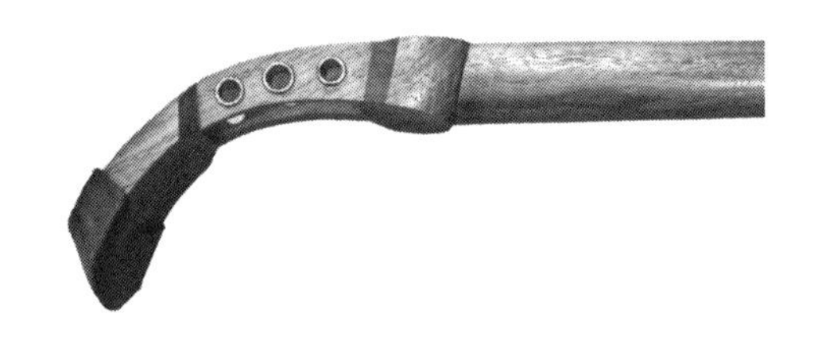

●紫檀材

主にタイで産出される紫檀材は、二胡の中では高級品として位置付けられていますが、三味線の中では中級品になります。木質は緻密で硬く重いことから棹には最適です。お稽古用・演奏会用として使用されます。

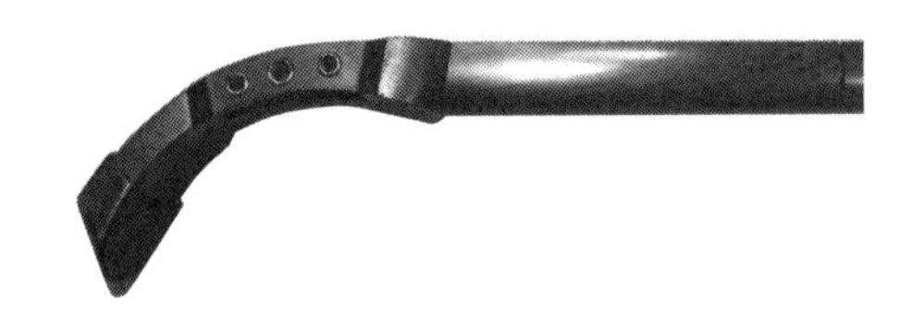

●紅木材

紅木材はインド南東部奥地の岩場の窪みの土に生殖している木です。木質は水に沈むほど緻密で硬く歪が生じないので、三味線の棹には最も適しています。

木地の色は黒っぽいものや紅色に近い鮮やかなものがあり、「**トチ** 」または、「**すだれトチ** 」といわれる模様が浮き出ている樹齢200年以上の硬さ・重さのある最高級の紅木は「**古山**」「**古紅木**」と呼ばれます。

密度の高い木質の棹から奏でる音色は素晴らしく、多くの先生・プロ・名取・師範が使用しています。

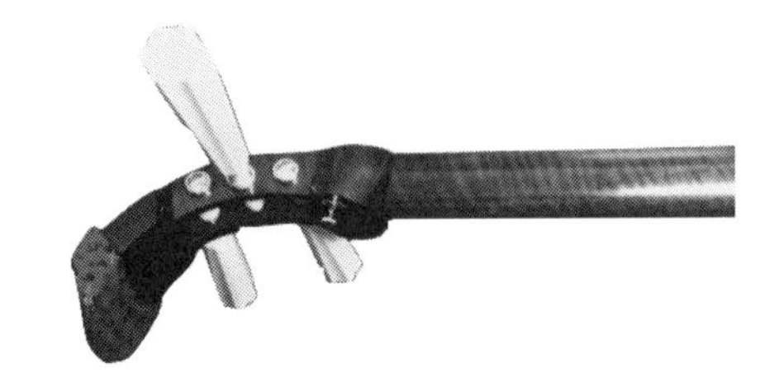

●金細

三味線の最上品とする価値は本体素材の「紅木」といえますが、継ぎ手の部分に「**金**（**9金・18金**）」を入れることにより、音をよく響かせるための工夫を施した「金細」であることや、胴の内側に細工を施した「綾杉胴（P.108）」であることも大切です。

さらに、「**トチ**」とよばれる紅木特有の美しい模様と硬さ、重さの条件が加わり、数百本に1本しか存在しない価値が見出されるのです。

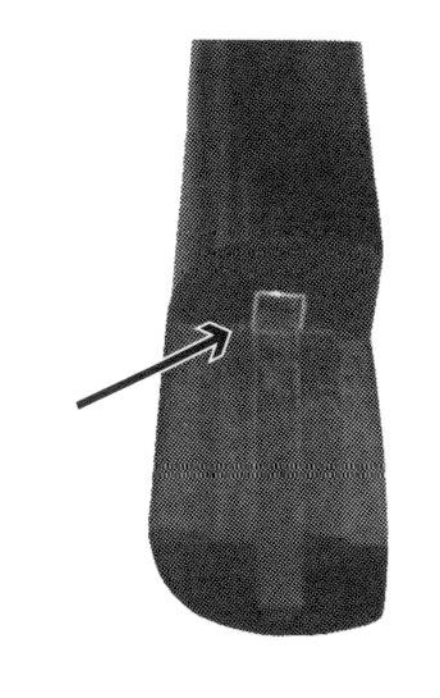

繋ぎ手部分に金がある

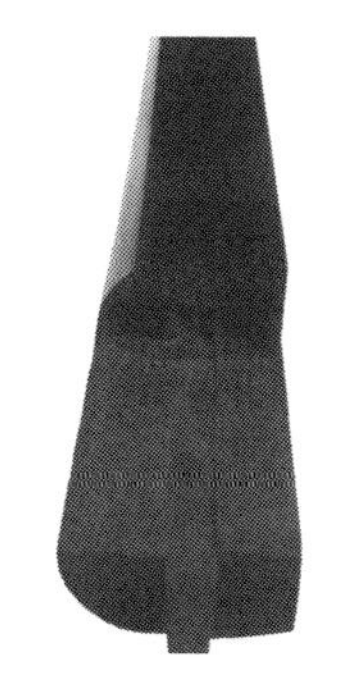

繋ぎ手部分に金がない

❒棹の長さと太さについて

三味線の棹の長さは通常「**98～100cm**」ですが、棹が主に1寸づめ（95cm）・1.5寸づめ（92.5cm）・2寸づめ（91cm）の「**短棹**」もあります。短棹は西日本の民謡に使用されることが多く、高音域の演奏をする場合に使用することもあります。また、手が小さい人や子供をはじめ、演奏のしやすさから短棹を好んで演奏する人もいます。現在主流の棹の太さは、細棹2.5cmまたは2.6cm未満・中棹2.6～2.7cm・太棹3cm以上といわれていますが、明確な定義があるわけではありません。

●棹の見分け方

「細棹」・「中棹」・「太棹」の見分け方は、長さと太さで判断する他に「**胴と棹の付け根の形**」でも判断できます。細棹は「**丸み**」を帯びていますが、中棹と太棹は「**角張った形**」をしているものが多く高音域の演奏がしやすくなっています。

細棹（長唄）

中棹（地歌）

太棹（津軽）

糸（弦）の種類、巻き方

❒糸巻き

天神の中で最も多く触れる部分は「糸巻き」で、消耗が激しい部分です。糸巻きの形状は、握る際に手に馴染むように六角（素六）もしくは八角ですが、現在は角を削った「**面取り**」が主流です。

糸巻きの素材は、座金との密着感が良く三味線の種類を問わない「**黒檀**」。また、材質は硬めで座金に固定しづらい面がありますが、舞台では華やかな印象を与え、プロの演奏家に好まれる「**象牙**」。さらに、黒檀の握り部分の表面を削り紅木を貼り合わせた「**紅木**」等が使われます。

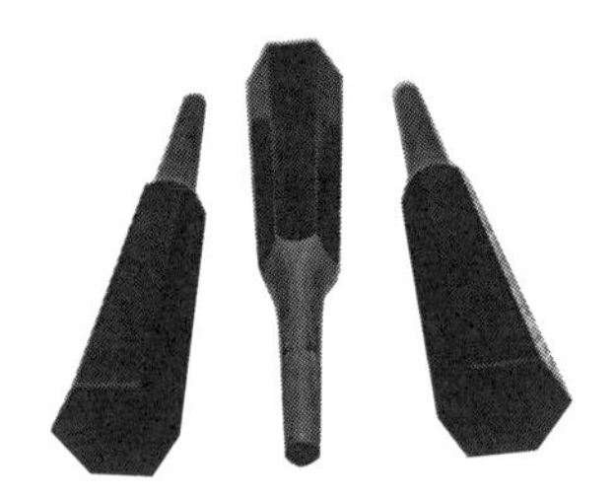

黒檀
素六 / 太口 / 民謡 /

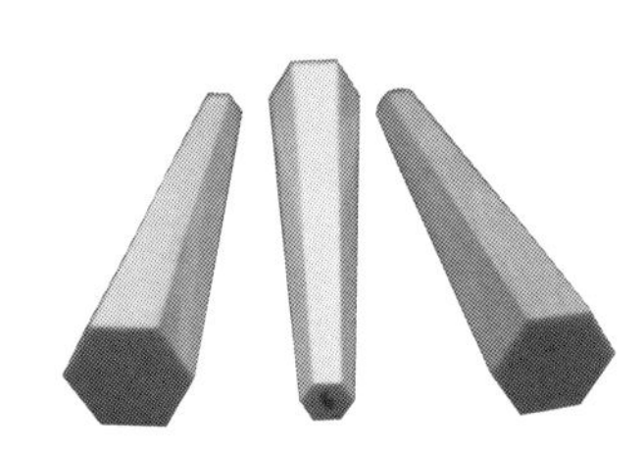

象牙 / 細口 / 素六 / 津軽 /
8 分 5 厘 / 加工前

象牙調 / 宇柄面取り
樹脂に黒檀を埋込んである

樹脂 / 宇柄面取り
黒檀に樹脂を埋込んである

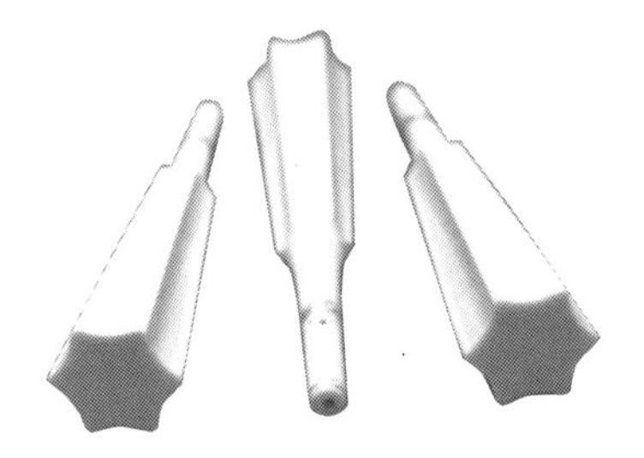

象牙 / 宇柄面取り
樹脂に埋込んである

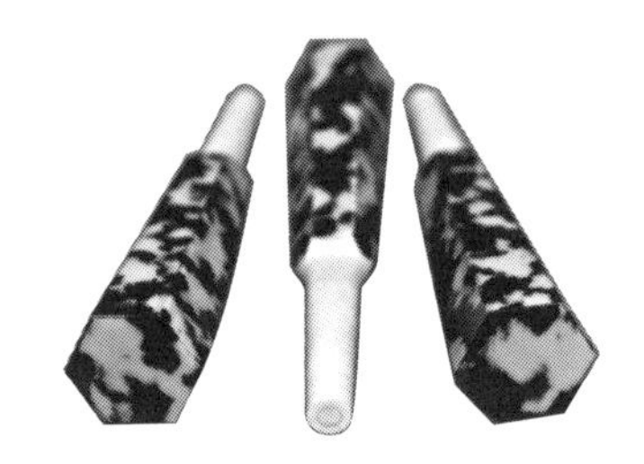

象牙調 / 素六
樹脂に鼈甲もどきをつけたもの

●糸巻きの寿命

糸巻きは最も消耗の激しい部分です。演奏前はもちろん、演奏中も調律の度に使用する部分なので、取扱いには十分注意をしましょう。寿命の目安は、座金との接触部分が削れてしまい糸巻きが戻るようになったら調整、または交換を検討しましょう。

❐糸（弦）の種類

三味線で使われる糸には、**正絹製・テトロン製・ナイロン製**等があります。それぞれに特徴があるので素材による音色、用途等の違いについて理解が必要です。絹糸製の三の糸は、二百数十本の極細の絹糸から作られており、その三の糸を二本撚り合わせて二の糸が作られ、三本撚り合わせて一の糸が作られています。正絹製の糸は、古い歴史があり正絹独特の響きの良さが三味線伝統の音色に結びついています。しかし、切れやすいことから頻繁に糸替えが必要です。さらに湿度に弱いため、保管にも十分配慮が必要です。保存時は「**金属製の缶**」に入れておくと良いでしょう。テトロン製・ナイロン製は、丈夫で切れにくいのでお稽古に向いています。しかし、音色が硬めに感じる人が多いようです。

●糸の選び方

一の糸は「**絹**」です。二と三の糸は、「**絹**」・「**テトロン**」・「**ナイロン**」から選択します。音色を重視する場合は、一、二、三それぞれ「絹」を選びますが、切れやすい特徴があります。標準的な張り方は、二通りあります。

①一と二を「絹」、三は「テトロン」または、「ナイロン」
②一を「絹」、二と三は「テトロン」または、「ナイロン」

激しい演奏をする津軽三味線は、三の糸を絹にするとすぐに切れてしまいます。また、「テトロン」は若干固く、「ナイロン」は若干やわらかめな特徴があるので、弾きやすさと音色で糸の種類を選びましょう。撥で弾く部分が摩れてきたり、糸の音色が小さくなってきたときが糸を変えるタイミングです。糸が馴染むまでに若干時間がかかるので、余裕をもって糸を張替えるようにしましょう。

●糸の太さ

糸の選び方はジャンルや流派により異なりますが、一般的な目安として参考にしてください。糸の太さは、「**数字が大きい**」ほど太くなります。メーカーにより音色も違うので、目標の音色に近づけるよう色々と試してみましょう。一般的には「富士糸 糸幸謹製」「壽糸 丸三ハシモト謹製」「初音 鳥羽屋謹製」「常磐 三絃糸 三味線糸」「ちくぶショーエー特製」等が多く使用されています。

種類	一の糸	二の糸	三の糸
小唄	16〜17	14〜15	12〜13
長唄	15〜16	13〜14	12〜13
民謡	15〜18	13〜58	12〜13
地歌	14〜16	14〜15	14〜15
津軽	24〜30	15〜16	13〜14

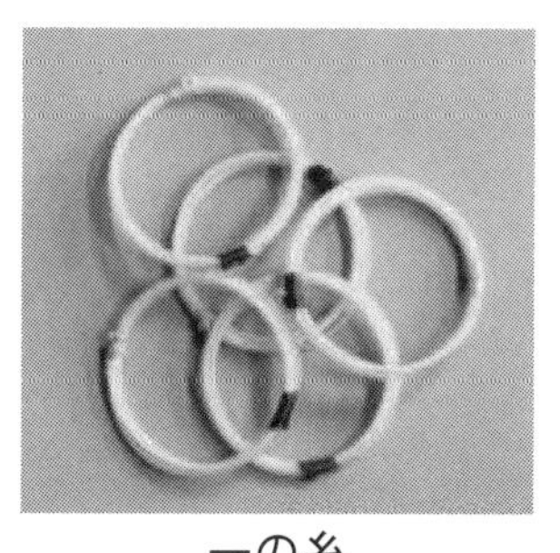
一の糸
絹 13〜30 番

二の糸
絹 13〜17 番

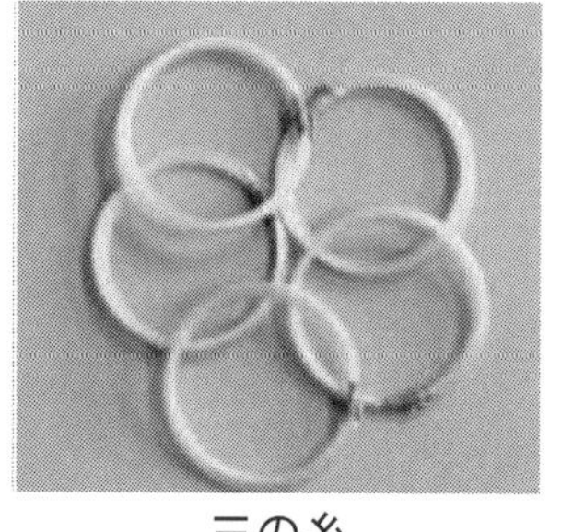
三の糸
絹 12〜18 番

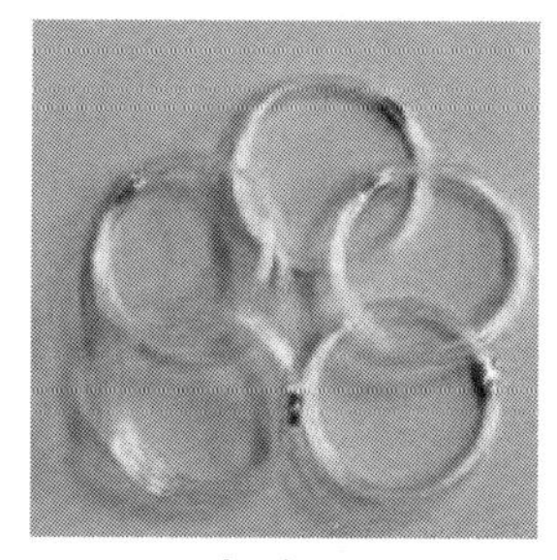
ナイロン
絹 12〜14 番

❒糸（弦）の張り方

糸掛けは、「三の糸」「一の糸」「二の糸」の順に行います。

●糸の張り方の手順

① 三の糸巻き（一番細い糸）

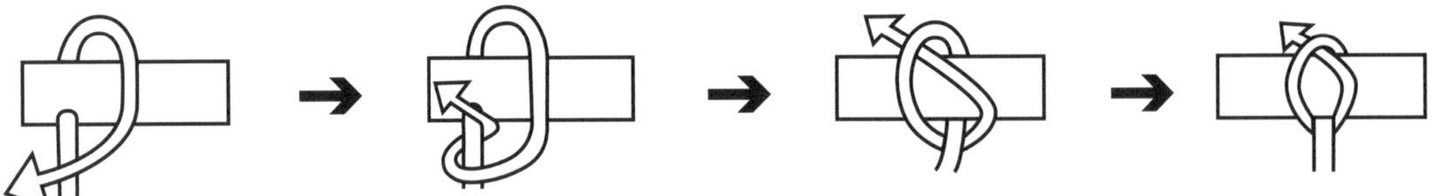

糸を通す。 → 通した糸を手前から回し込んで通す。 → 先端を残し、矢印の方向へ糸巻きを回す。 → 先端が抜けないように、しっかり結ぶ。

② 一の糸巻き（一番太い糸）

糸を通す。 → 先端を結ぶ。 → 矢印方向へ引く。

③ 二の糸巻き

糸を通す。 → 輪を作り、先端を差し込む。 → 矢印方向へ引く。

●根緒の糸掛方法

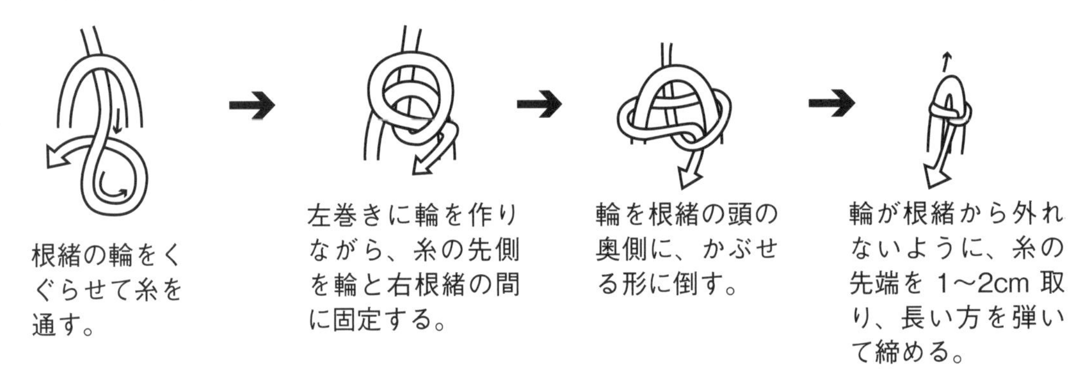

根緒の輪をくぐらせて糸を通す。 → 左巻きに輪を作りながら、糸の先側を輪と右根緒の間に固定する。 → 輪を根緒の頭の奥側に、かぶせる形に倒す。 → 輪が根緒から外れないように、糸の先端を 1～2cm 取り、長い方を弾いて締める。

❒ 糸の巻き方

・悪い例

糸が糸倉に触れているので、糸巻きが座金に入り込みづらく糸が緩みやすい。

・良い例

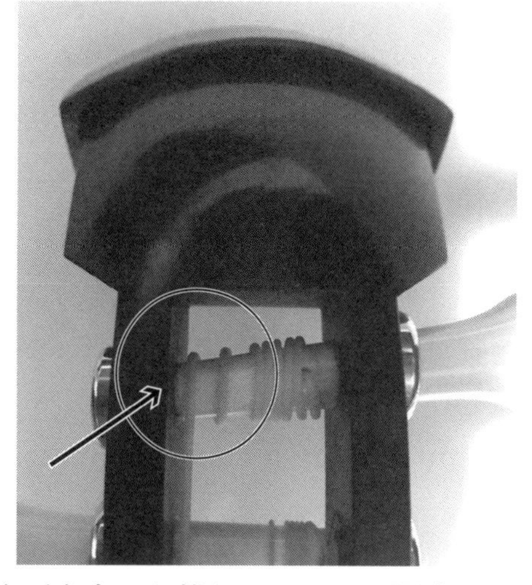

糸が糸倉から離れているので調弦しやすく、糸が緩みにくく響きも良い。

●糸道

三味線は、撥の動かし方や弾き方、強弱等により表現しますが、三味線の練習を重ねると人差指と中指の爪に糸を押さえ続けたことでできる「**糸道**」とよばれる細い溝ができます。糸の収まりどころを爪の真ん中に作るために、ヤスリ等で意図的に爪を削り「糸道」を作ることもあります。

❒ 上駒の形状

サワリが付いている三味線と付いていない三味線とでは、上駒の形状が異なります。「一の糸」、「二の糸」、「三の糸」すべてが上駒の上に乗るサワリ有りのものを「**東サワリ**」といい、「二の糸」、「三の糸」のみ上駒の上に乗せ、「一の糸」は直接木に触れされてサワリ音を発生させる「サワリ無し」のものを「**山サワリ**」といいます。

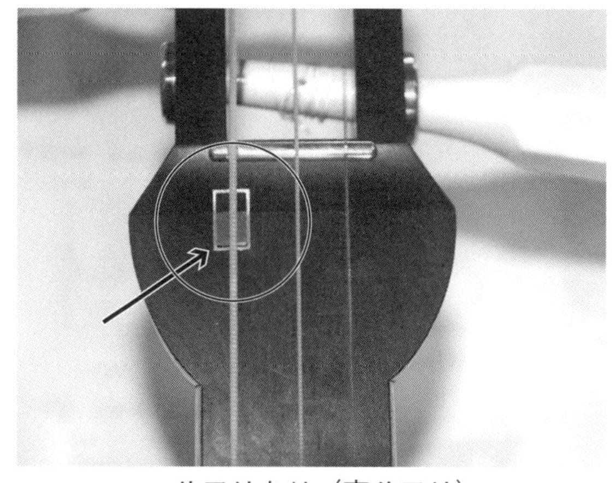

サワリあり（東サワリ）

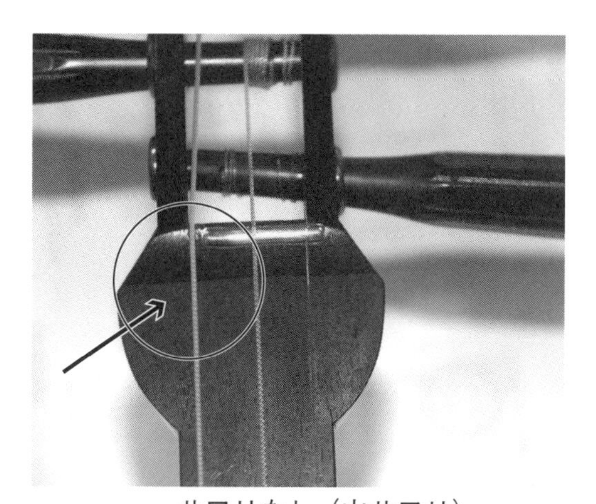

サワリなし（山サワリ）

サワリは、主に「**民謡三味線**」や「**津軽三味線**」等に用いられ、長唄・地唄・小唄三味線等には東サワリは付いていません。サワリは裏のネジを回し、芯を上下させ「一の糸」に触れさせてサワリの均衡を保ちます。民謡三味線や津軽三味線にサワリが付いていないと、三味線本来の音質が表現できません。長唄三味線や地唄三味線、小唄三味線等は、サワリ溝に「一の糸」を触れさせてサワリを付けます。調弦をする上で、サワリは最も大事といえます。

第五章　知識編　その三

胴、駒、撥について

❐ 胴の違い

胴には、「**丸打胴**（まるうちどう）」と「**綾杉胴**（あやすぎどう）」の2種類があります。丸打胴は胴の内側が「**丸く**」なっており、綾杉胴は胴の内側が「**ギザギザ**」になっています。綾杉胴は音色が良くなるという通説もありますが、科学的な根拠はありません。およそ25万円以下の三味線は丸内胴で、30万円以上の並紅木等は綾杉胴という見分け方もあります。40～50万円以上の三味線は、ほとんどが綾杉胴でできていることから、中古の三味線を購入する際の目安にすることができます（※目安であり、全てがこの限りではありません）。

丸内胴

綾杉胴

❐ 替え胴について

三味線の皮が破れて修理に出すときは、配送中の破損を防ぐために上棹・中棹・下棹を外し、「**胴のみ**」、または、「**胴に下棹を付けた状態**」で送ると良いでしょう。棹を外せない場合は、三味線がケース内で動かないように「**しっかりと固定**」し、破損防止に備えましょう。

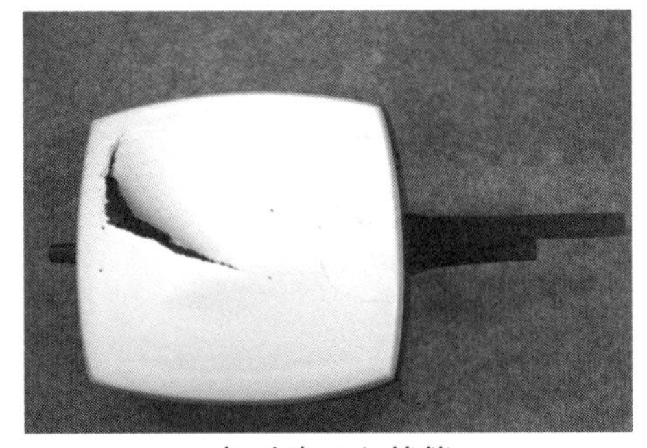

皮が破けた状態

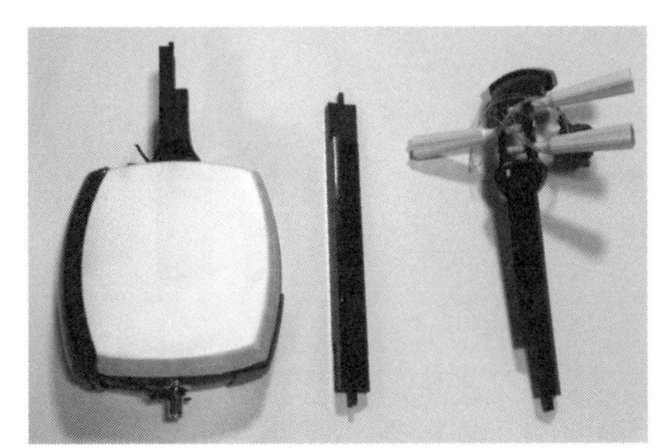

上棹、中棹を外した三味線

❒ 駒の種類について

三味線の駒は音色を決めるポイントです。樹脂製・竹製・舎利製（骨や牙）・象牙駒等、色々な材質があり、重さ・形状・高さ等、演奏ジャンルや目的に合わせて変えますが、種類により弾きやすさにも影響するので、様々な駒を試し弾きすることをお勧めします。

その他、深夜等、大きな音を出せない環境で練習をする場合に消音できる「**忍び駒**」「**こば式忍び駒**」や、胴と音緒の部分に挟んで糸の振動を胴や皮に伝えて音色の伸びをよくできる「**音緒駒**（ねおこま）」があります。

①プラスチック駒
（多ジャンル）

②竹駒（津軽）

③舎利駒
（多ジャンル）

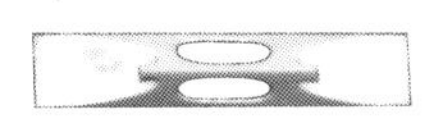

④象牙駒（小唄）

⑤紅木駒（小唄）

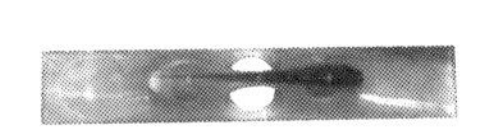

⑥水牛駒（地唄）

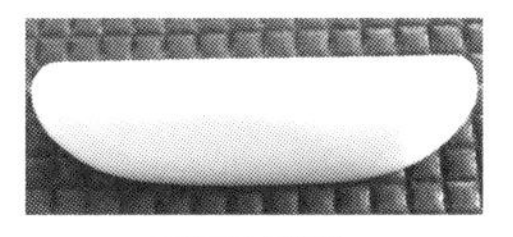

⑦音緒駒

⑧忍び駒（夜間音消し）

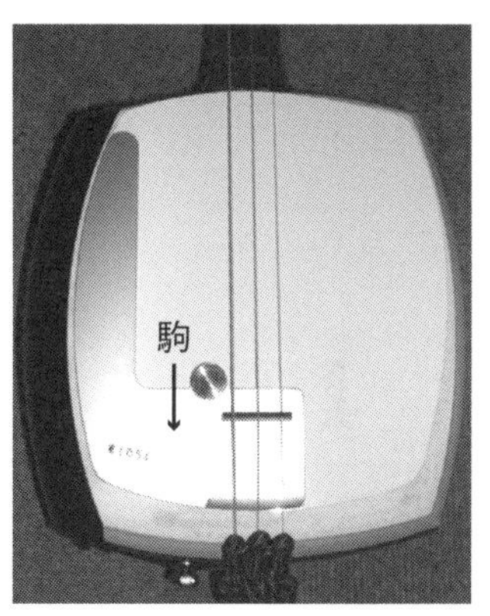

⑨こば式忍び駒

❒ 駒の張り方

① 三味線の表皮面を上にして、安定した平らな場所へ置きましょう。

②

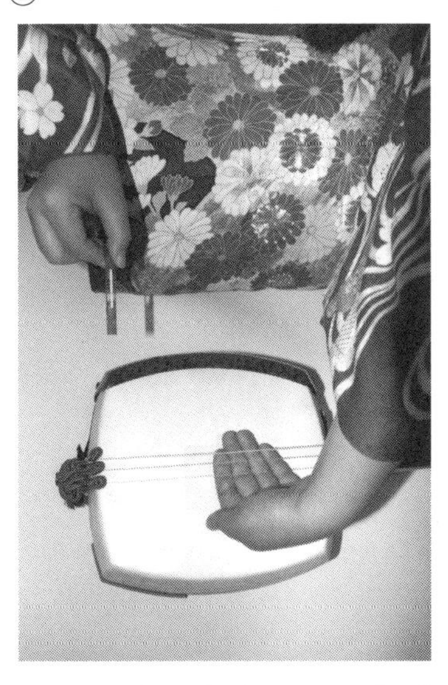

三本の糸と表皮の間に左手を差し入れ、胴面のおよそ中央で糸を持ち上げます。

③

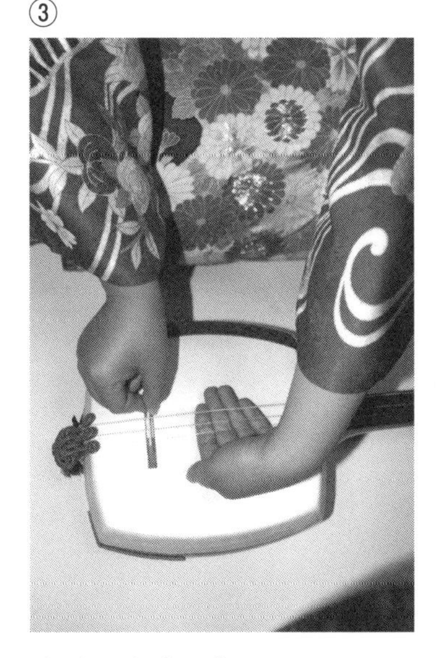

右手で表皮を傷つけないように駒を差し入れます。

④

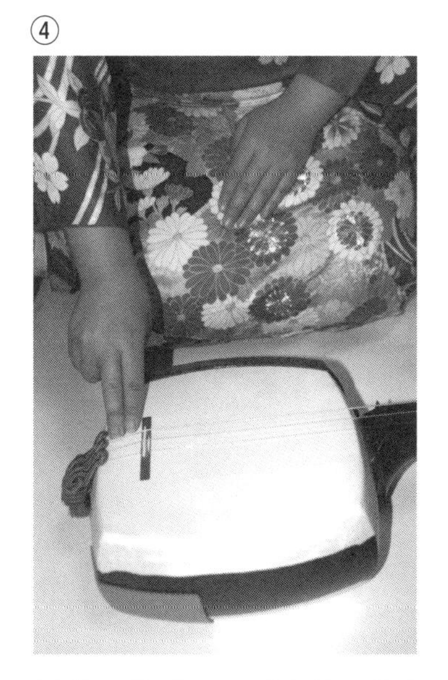

根緒の位置より「人差し指」と「中指」の二本幅の位置に固定します。

⑤「一の糸」「二の糸」「三の糸」それぞれを駒の糸受け溝に合わせてセットしましょう。
　※溝の深さは糸の太さにあわせて違うので、注意しましょう。

□撥について

撥はジャンルや流派によっていくつかの種類があります。材料に関わらず無垢なものを「**丸撥**（まるばち）」といい、継いであるものを「**接撥**（はぎばち）」といいます。接撥は反りによる割れを防ぐ目的と、撥先の接直し可能な利点があります。長唄用の撥には、**象牙・木・プラスチック**等が使われますが、撥の素材は他にも**水牛・鼈甲**等があり、三味線の種類やジャンルによって使い分けられます。撥の重さを出すために、撥の側面をくり抜いて鉛を入れ重さを調整しているものや、演奏スタイルに合わせたアクリル製の軽いものもあります。

①プラスチック撥（丸撥）

プラスチック撥は、耐久性に優れており安価なため学校授業等の教育用や練習用に適していますが、材質が硬いため撥先がしなりづらくステージ用には向いていません。糸や撥皮へのダメージも避けられないことから、演奏に慣れてきたら他の素材を選ぶことが望ましいでしょう。

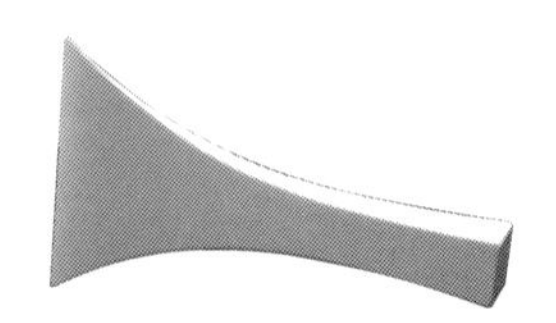

プラスチック撥

②鼈甲調（天然系の合成材料とプラスチックの接撥）

プラスチックより強度やしなり具合が良く、見た目は本鼈甲に大変よく似ていますが比較的安価なことから、初心者から上級者まで幅広い層に選ばれています。

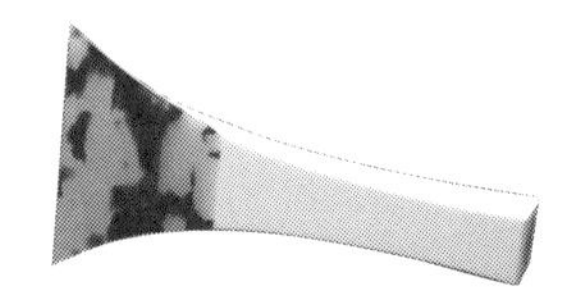

鼈甲調

③本鼈甲（鼈甲とプラスチックの接撥）

柄が黄色く抜けているものがより高級な鼈甲になります。

本鼈甲

④黒水牛（鼈甲と黒水牛の接撥）

水牛台は吸水性があり手元に馴染みやすい特徴があります。

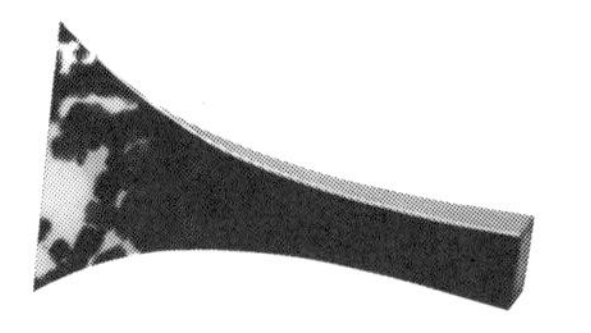

黒水牛

⑤白水牛（鼈甲と白水牛の接撥）

艶やかで美しい白水牛撥です。④の黒水牛と同様に、吸水性があり手元に馴染みやすい特徴があります。

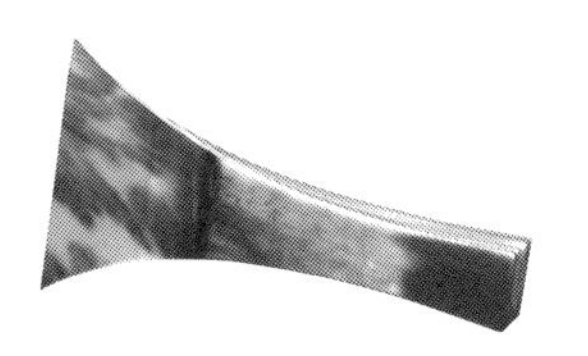

白水牛

⑥木製台（鼈甲と木工台の接撥）

材質は、樫や黄楊・柊等、種類は幅広く稀に竹製のものもみられます。木製なので撥先の摩耗が著しく比較的早く修理や交換が必要ですが、安価でお稽古に適しています。

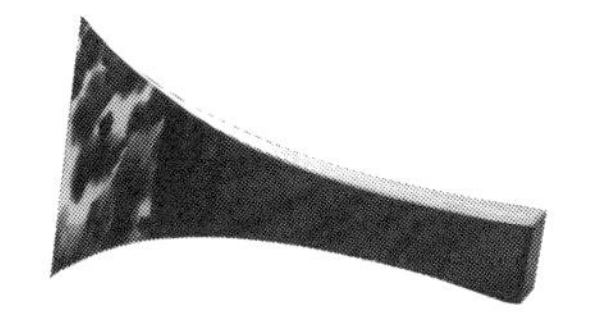
木製台

⑦象牙撥（丸撥）

象牙撥は見た目が華やかで耐久性も高く、多くのプロの演奏家に支持されています。また、材質が固く薄く加工できることから「しなり」がよく、戻りが早い優れた利点をもっていますが非常に高価です。

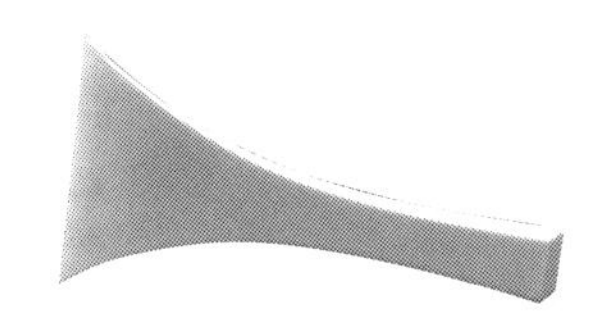
象牙撥

❒撥の選び方

撥の選択は、三味線を選ぶのと同じくらい重要といえます。一般的に材質や値段で撥の良さを判断する傾向がありますが、実際は値段や材質よりも撥のサイズや削り方・厚みなどの加工方法が音色を左右します。撥先が柔らかく、しなりの良いものは親指の感触が滑らかで演奏しやすい撥といえます。

撥を選ぶ際は、実際に試し弾きを行い馴染みの良さを確認するようにしましょう。また、購入したての撥は撥先が尖っています。糸や撥皮を痛めないよう、「**目の細かいやすり**」で撥先の鋭利な部分を滑らかに調整しましょう。その際、撥先はとても薄く欠けやすいので「**一定方向**」に丁寧に磨きましょう。

column 「二枚目」と呼ばれたのは歌舞伎から

イケメンの意味をもつ「二枚目」という言葉を知っていますか？　この二枚目という言葉は歌舞伎から生まれました。江戸時代、劇場の前には俳優の名前を書いた看板が並べられており、右から一枚目には主役の俳優の名前が記され、二枚目にはイケメン役の俳優、三枚目には笑いをとる道化役の名前が記されていました。そのようなことから、かっこいい男性を「二枚目」と呼ぶようになり、人を笑わせる面白い人を「三枚目」を呼ぶようになったといわれています。

第五章　知識編　その四

三味線のお手入れ方法

三味線をしまうときは、必ず専用のフキンでお手入れ後、胴を和紙袋にいれて長袋や胴袋にいれてケースに保管します。棹を拭く際は、手の脂や汚れを取り除くために糸を緩めて糸と棹の間を拭きましょう。同じく撥の脂や汚れも拭き取ります。材質が紅木の場合は、「**艶ふきん**」で拭くことによって艶が出やすくなります。棹の変形を防ぐために糸は必ず「**緩めて**」保管しましょう。

❐ 保管方法について

三味線は温度や湿度の高い場所に保管すると、皮が破れる等のトラブルが発生します。次のような場所には保管しないようにしましょう。

× 温度や湿度の変化が激しい窓の近くは避けましょう。
× 直射日光が当たる場所や雨等の湿気がこもる場所は、変色や劣化の原因になります。
× 夏場は高温になることもある車内等、温度差の激しい場所は避けましょう。
× エアコンの温度と湿度を調整しましょう（湿度は 30~50%）。
× 人通りの多い場所は破損の原因になります。安定した場所に保管しましょう。
×三味線立箱（桐製）、または三味線トランクや三味線ケースに入れて保管しましょう。

❐ 三味線の胴皮の注意事項

三味線の皮は「**湿気**」や「**温度の変化**」に影響を受けやすいので、長い間演奏せずにいると湿度の影響で一方向へ圧力が加わり皮が破れてしまうことが有ります。しかし、日々練習をすることで皮に「**振動**」を与え、破けるのを防ぐことができます。上達はもちろん、胴皮のケアのためにも毎日の練習はとても大切です。乾燥剤（和楽器用）や桐板等､湿度を調整する小道具を使用するのも良いでしょう。

❐ 三味線の壊れやすい部分

三味線は木製であることから大変壊れやすい楽器です。最も壊れやすい部分は、「**天神**」、「**糸巻き**」、「**皮**」の３ヶ所です。原因は、「持ち運んでいる間にぶつけてしまった」、「三味線を立てかけておいて倒れてしまった」、「温度・湿度管理が不十分だった」等があげられます。特に天神は欠けやすいので、持ち運びには十分に気をつけましょう。混雑する場所や遠方へ持ち運ぶ際は、「**ハードケース**」の使用をお勧めします。また、三味線を置くときは「**天神を安定させる**」と滑り落ちる事故を防ぐことができます。

第五章　知識編　その五

五線譜から文化譜を作成する方法

❒ 洋楽譜と邦楽譜

クラシック・ポピュラー・ジャズ・ロック・演歌・その他の音楽の基礎となっているのが、**長音階**（Major Scale）と**短音階**（Minor Scale）です。ピアノを例にあげると、12 音階は「**白鍵 7 音**」と「**黒鍵 5 音**」で構成されていますが、更に 12 音全ての音からスタートする長音階と短音階が存在します。

洋楽譜の「五線譜」と邦楽譜の「文化譜」の表記法は異なりますが、それぞれ 12 音階の繰返しで構成されています。「五線譜」を使用するピアノは、白鍵と黒鍵に分かれていることから視覚的にも♯や♭等、半音関係が判断しやすくなっていますが、「文化譜」を使用する三味線の音階は、水平に張られた弦の一直線上に半音階で並んでいることから、ドレミの音階を演奏する場合には長音階と短音階の「**全音と半音の関係**」を理解することがポイントになります。

●長音階と短音階

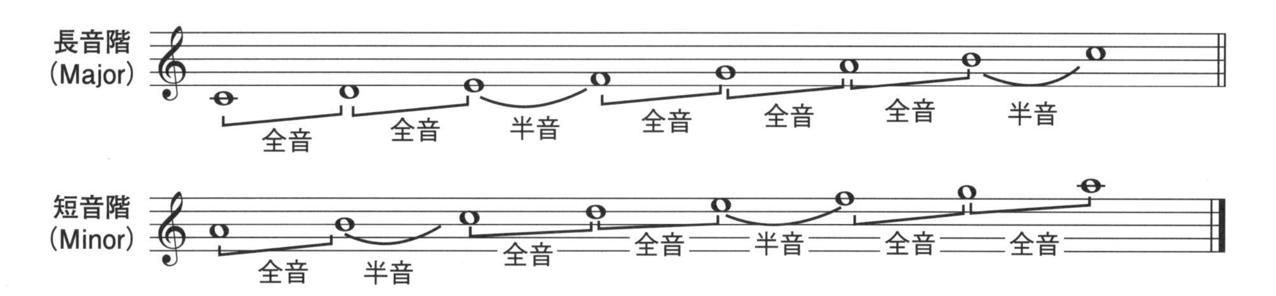

長音階と短音階は、半音 12 音のうち全音と半音の一定の組合せにより、それぞれ 7 音で構成されています。7 音の次の 8 番目の音を「**1 オクターブ**」と呼び、2 オクターブ、3 オクターブと繰り返されます。三味線の勘所の数字は、下記の順で並んでおり全て半音階になっています。

⓪ ① ② ③ ♯ ④ ⑤ ⑥ ⑦ ⑧ ⑨ ♭ ⑩ ⑪ ⑫ ⑬ 1♯ ⑭ ⑮ ⑯ ⑰ ⑱ ⑲
(開放)

「本調子」「二上り」「三下り」ともに、どの基準音で調弦しても音階は次頁の数字で並んでいます。長音階と 3 つの短音階の響きを聴き比べてみましょう。

❐ 基準音「一の糸」及び、本調子と二上りの「三の糸」

	ド	レ	ミ	ファ	ソ	ラ	シ	ド	レ	ミ	ファ	ソ	ラ
長音階	⓪	②	(♯)	④	⑥	⑧	(♭)	⑩	⑫	(1♯)	⑭	⑯	⑱
自然的短音階	⓪	②	③	④	⑥	⑦	⑨	⑩	⑫	⑬	⑭	⑯	⑰
和声的短音階	⓪	②	③	④	⑥	⑦	(♭)	⑩	⑫	⑬	⑭	⑯	⑰
旋律的短音階 （下降は自然的短音階と同じ）	⓪	②	③	④	⑥	⑧	(♭)	⑩	⑫	⑬	⑭	⑯	⑱

❐ 本調子及び、三下り「二の糸」

	ファ	ソ	ラ	シ	ド	レ	ミ	ファ	ソ	ラ	シ	ド	レ
長音階	⓪	②	(♯)	⑤	⑥	⑧	⑨	⑩	⑫	(1♯)	⑮	⑯	⑱
自然的短音階	⓪	②	③	④	⑥	⑧	⑨	⑩	⑫	⑬	⑭	⑯	⑱
和声的短音階	⓪	②	③	⑤	⑥	⑧	⑨	⑩	⑫	⑬	⑮	⑯	⑱
旋律的短音階 （下降は自然的短音階と同じ）	⓪	②	(♯)	⑤	⑥	⑧	⑨	⑩	⑫	(1♯)	⑮	⑯	⑱

❐ 二上り「二の糸」

	ソ	ラ	シ	ド	レ	ミ	ファ	ソ	ラ	シ	ド	レ	ミ
長音階	⓪	②	(♯)	④	⑥	⑧	⑨	⑩	⑫	(1♯)	⑭	⑯	⑱
自然的短音階	⓪	①	③	④	⑥	⑦	⑨	⑩	⑪	⑬	⑭	⑯	⑰
和声的短音階	⓪	①	(♯)	④	⑥	⑦	⑨	⑩	⑪	(1♯)	⑭	⑯	⑰
旋律的短音階 （下降は自然的短音階と同じ）	⓪	②	(♯)	④	⑥	⑦	⑨	⑩	⑫	(1♯)	⑭	⑯	⑰

❐ 三下り「三の糸」

	シ	ド	レ	ミ	ファ	ソ	ラ	シ	ド	レ	ミ	ファ	ソ
長音階	⓪	①	③	④	⑤	⑦	⑨	⑩	⑪	⑬	⑭	⑮	⑰
自然的短音階	–	①	③	(♯)	⑤	⑦	⑧	(♭)	⑪	⑬	(1♯)	⑮	⑰
和声的短音階	–	①	③	(♯)	⑤	⑦	⑧	⑩	⑪	⑬	(1♯)	⑮	⑰
旋律的短音階 （下降は自然的短音階と同じ）	–	①	③	(♯)	⑤	⑦	⑨	⑩	⑪	⑬	(1♯)	⑮	⑰

「移動ド（※ 1)」の考え方を適用してください。

※1 「移動ド」とは、全ての調において主音をドとして音階をドレミファソラシドと読む方法。
「固定ド」とは、調に関係なくＣ音をドとしてドレミファソラシドと読む方法。

❒ 五線譜から文化譜を作る変換表

■変換表の利用方法

五線譜を文化譜に書き換える場合、五線譜が何調で書かれているかがポイントになります。

1. 作成したい五線譜が何調か確認し、図①を参考に同じ調のテンプレートを準備します。
2. 作成する楽譜の最低音を確認し、最低音または最低音より下の音を基音 に設定して図②の基音「一の糸」のスペースへ英音名 で書き入れます。
3. 次に楽譜の中で多く使われる音をみつけ、その音が含まれている調弦法を図③より選び○をつけ、図②の「二の糸」と「三の糸」のスペースにあてはまる音を英音名で書き入れます。
   ※調弦法の選び方が分からないときは、P.34の表を参考にしましょう。
4. 「一の糸」「二の糸」「三の糸」の開始音（開放弦 0）が決まったら図⑥の「音階」の部分にそれぞれ開始音をカタカナで記入し音階の続きを記入しましょう。
5. 「一の糸」の開始音と同じ音を図⑤の五線譜または鍵盤上からみつけ、同じ位置にあたる「一」の行の空欄へ図④の勘所番号を表記の通りに記入します。「二の糸」「三の糸」もそれぞれ開始音と同じ位置から記入します。
6. 図⑤の白い枠の数字のみを図⑥の「一の糸」「二の糸」「三の糸」へ書き出します。
7. 「一の糸」「二の糸」「三の糸」の勘所表が完成しました。勘所表を基に鍵盤の音域を確認しながら文化譜や五線譜の作成にチャレンジしてみましょう！

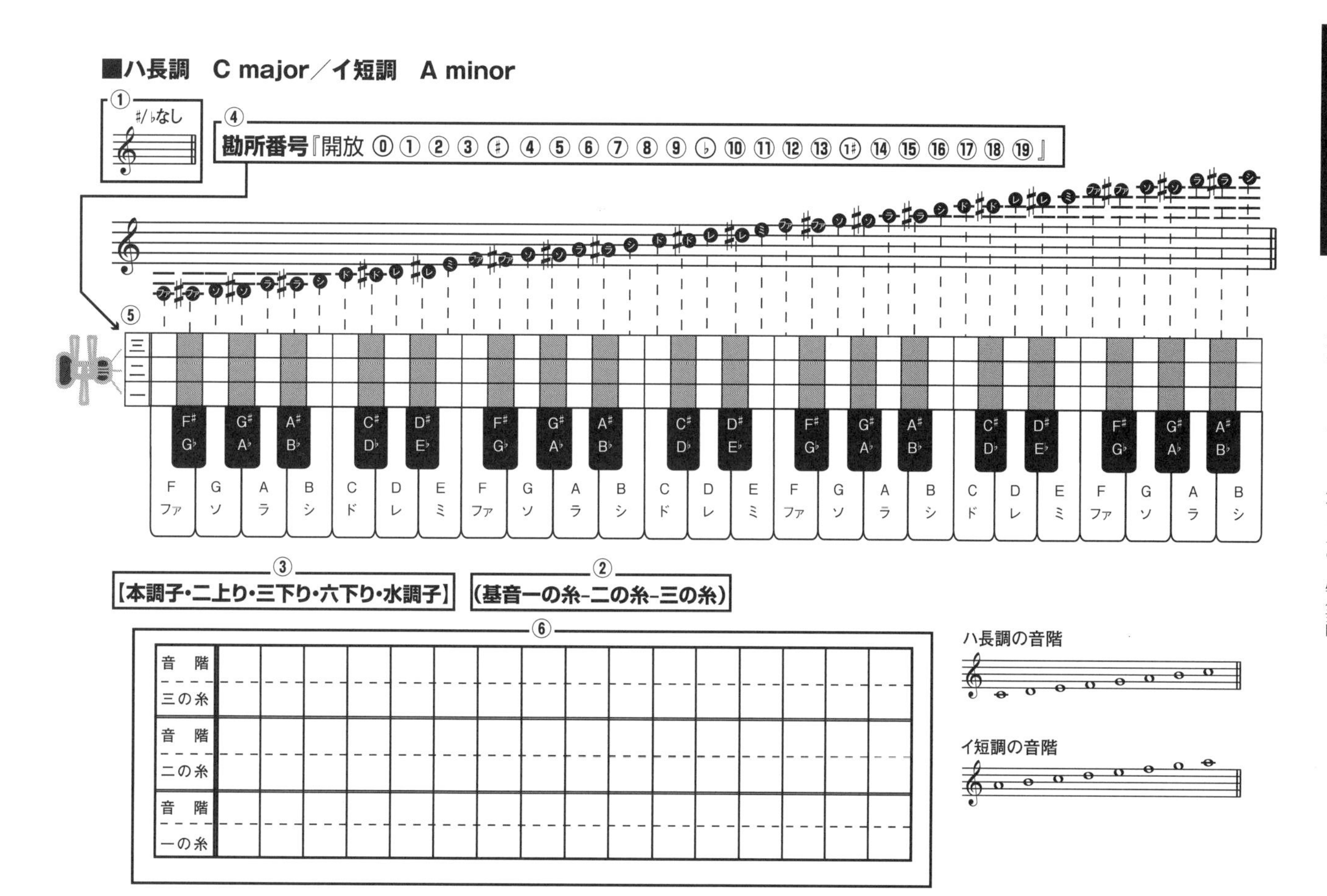

■ハ長調　C major／イ短調　A minor

♯/♭なし

勘所番号『開放 ⓪ ① ② ③ ♯ ④ ⑤ ⑥ ⑦ ⑧ ⑨ ♭ ⑩ ⑪ ⑫ ⑬ 1♯ ⑭ ⑮ ⑯ ⑰ ⑱ ⑲』

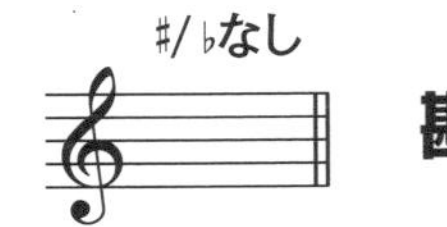

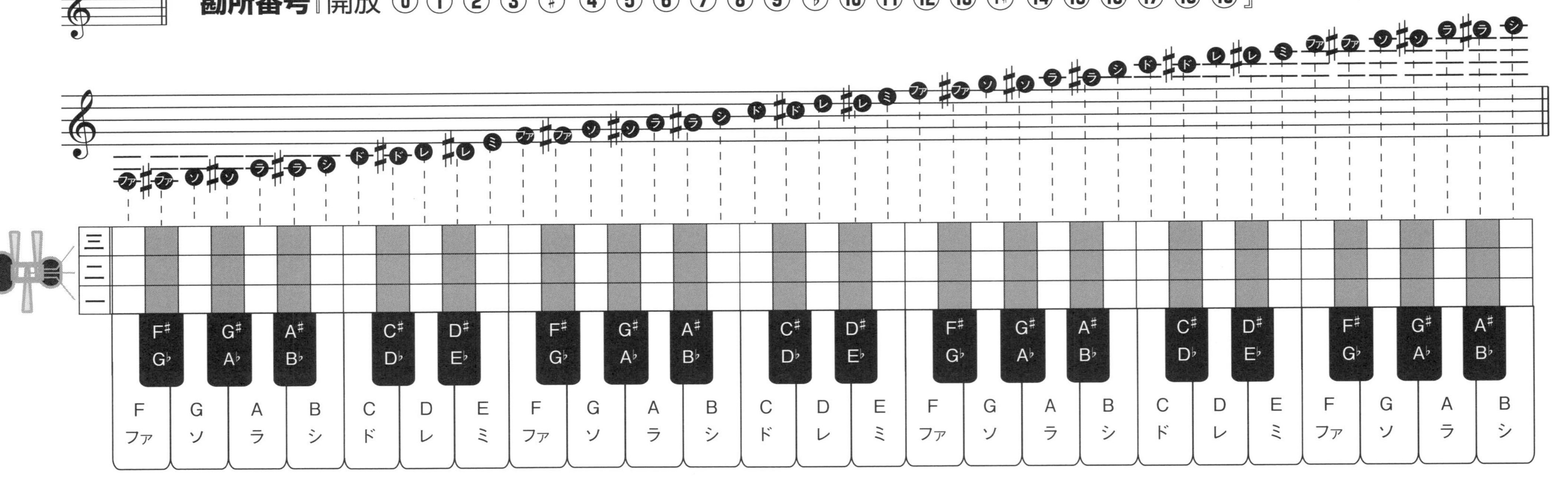

【本調子・二上り・三下り・六下り・水調子】(　　ー　　ー　　)

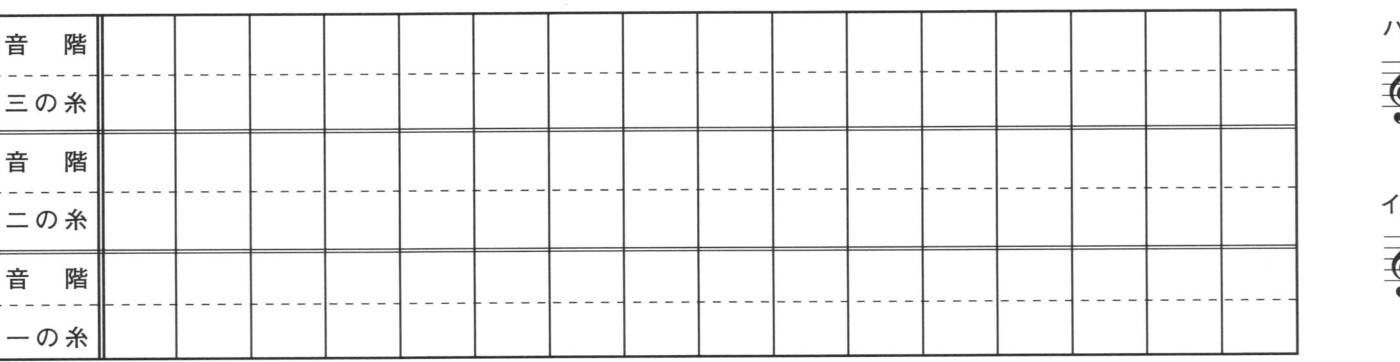

音　階																
三の糸																
音　階																
二の糸																
音　階																
一の糸																

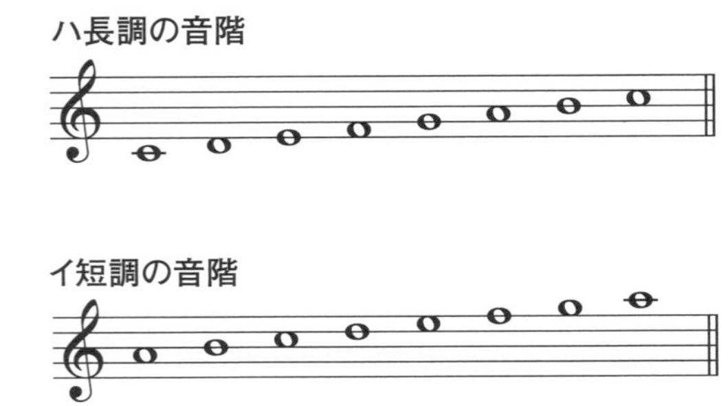

ハ長調の音階

イ短調の音階

■ト長調　G major／ホ短調　E minor

♯1つ

勘所番号『開放 ⓪ ① ② ③ ♯ ④ ⑤ ⑥ ⑦ ⑧ ⑨ ♭ ⑩ ⑪ ⑫ ⑬ 1♯ ⑭ ⑮ ⑯ ⑰ ⑱ ⑲』

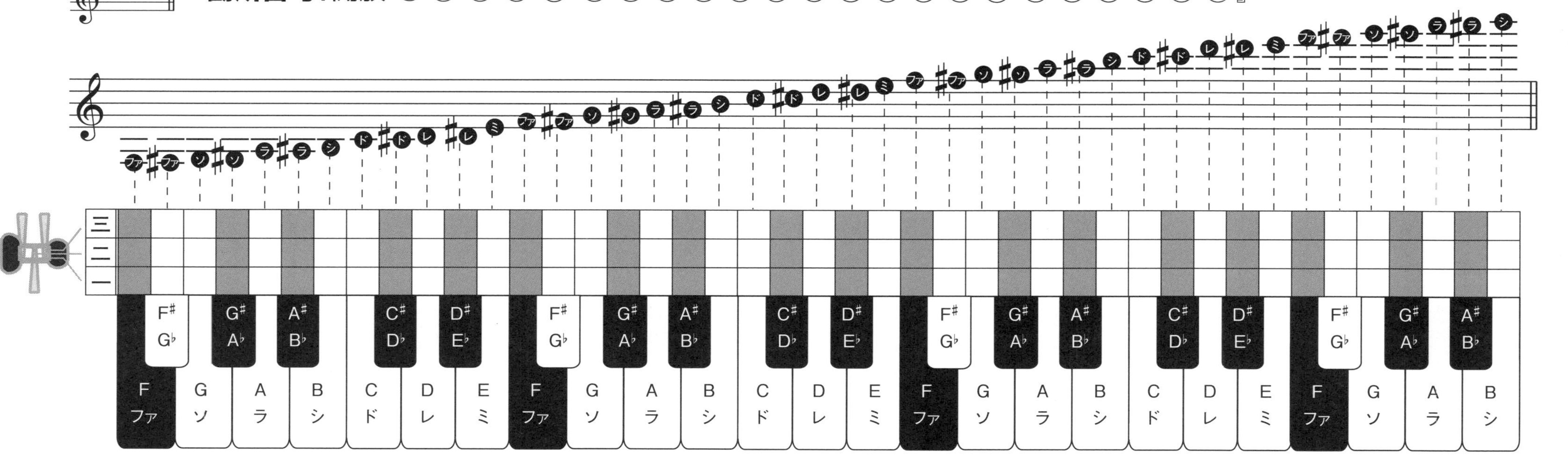

【本調子・二上り・三下り・六下り・水調子】(　　ー　　ー　　)

音　階																
三の糸																
音　階																
二の糸																
音　階																
一の糸																

ト長調の音階

ホ短調の音階

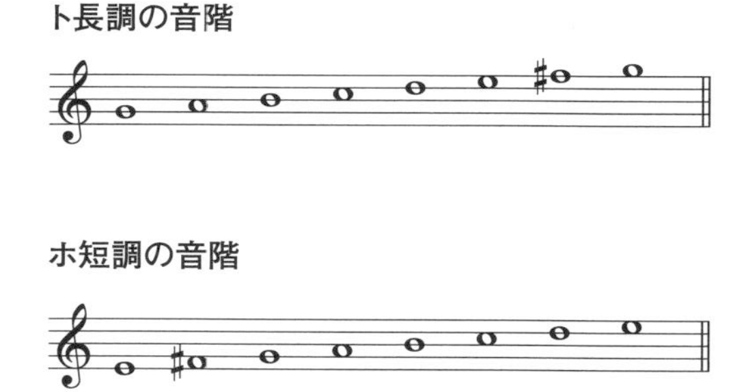

■二長調　D major／ロ短調　B minor

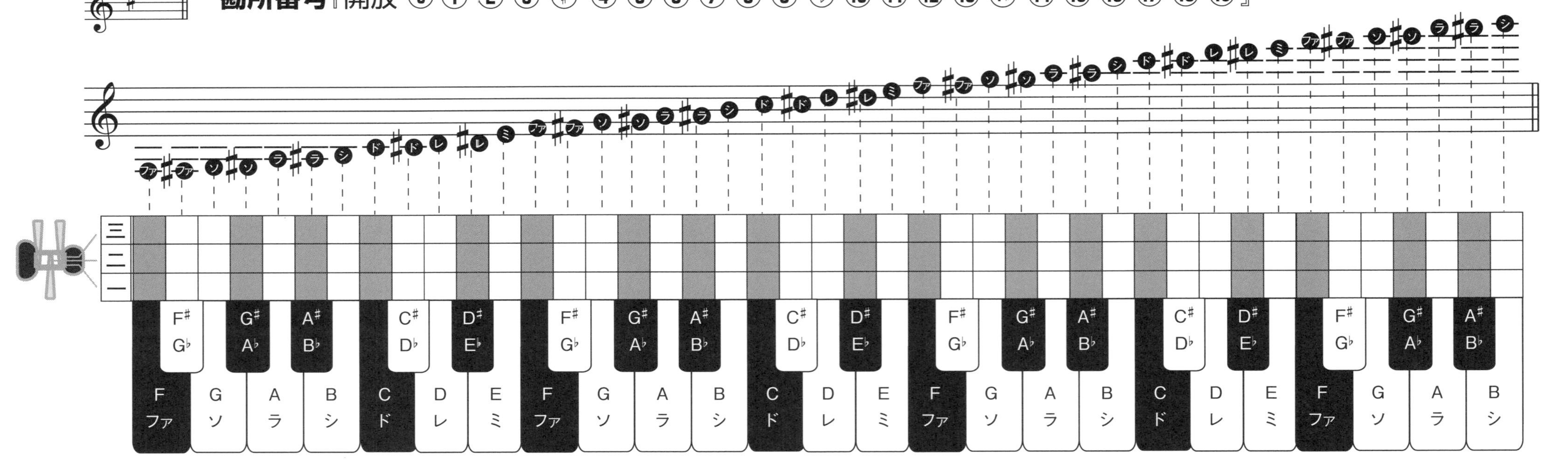

【本調子・二上り・三下り・六下り・水調子】(　　ー　　ー　　)

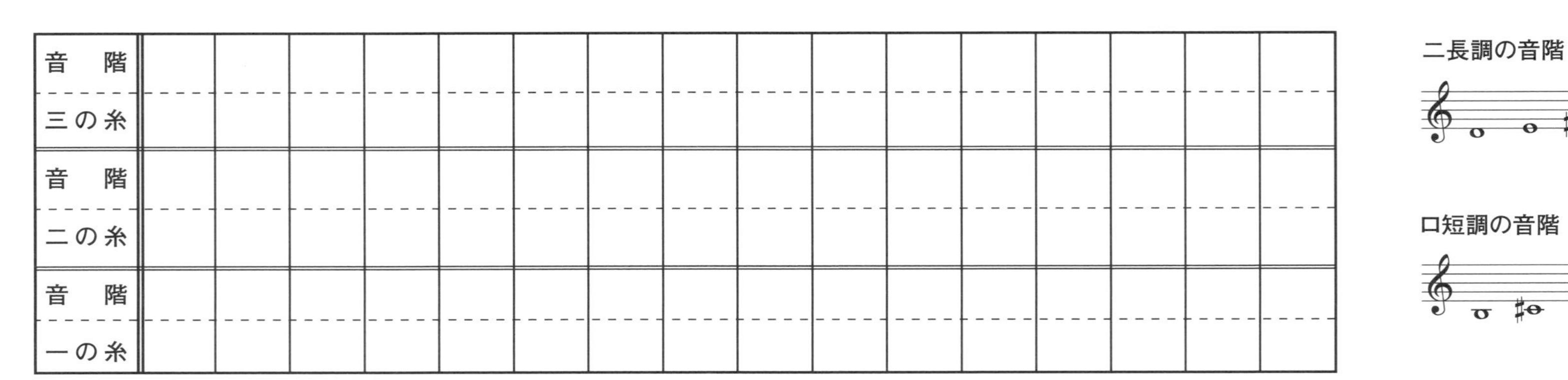

音　階																
三の糸																
音　階																
二の糸																
音　階																
一の糸																

■イ長調　A major／嬰へ短調　F♯ minor

♯3つ

勘所番号『開放 ⓪ ① ② ③ ♯ ④ ⑤ ⑥ ⑦ ⑧ ⑨ ♭ ⑩ ⑪ ⑫ ⑬ 1♯ ⑭ ⑮ ⑯ ⑰ ⑱ ⑲』

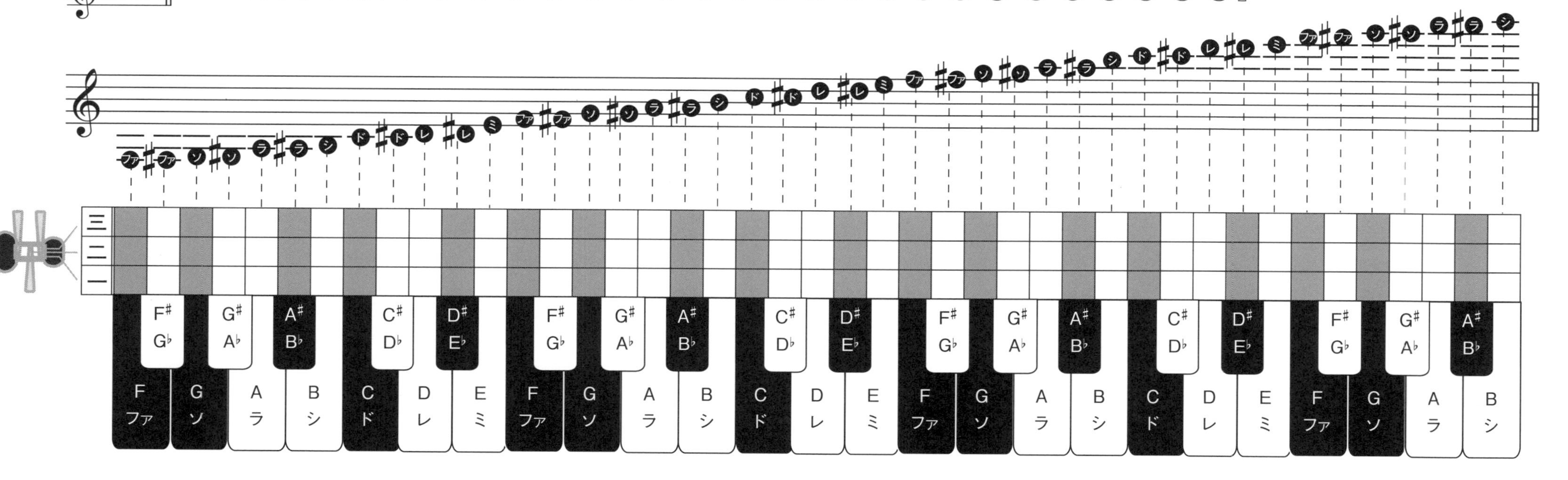

【本調子・二上り・三下り・六下り・水調子】(　　—　　—　　)

音　階																
三の糸																
音　階																
二の糸																
音　階																
一の糸																

■ホ長調　E major／嬰ハ短調　C♯ minor

♯4つ

勘所番号『開放 ⓪ ① ② ③ ♯ ④ ⑤ ⑥ ⑦ ⑧ ⑨ ♭ ⑩ ⑪ ⑫ ⑬ 1♯ ⑭ ⑮ ⑯ ⑰ ⑱ ⑲』

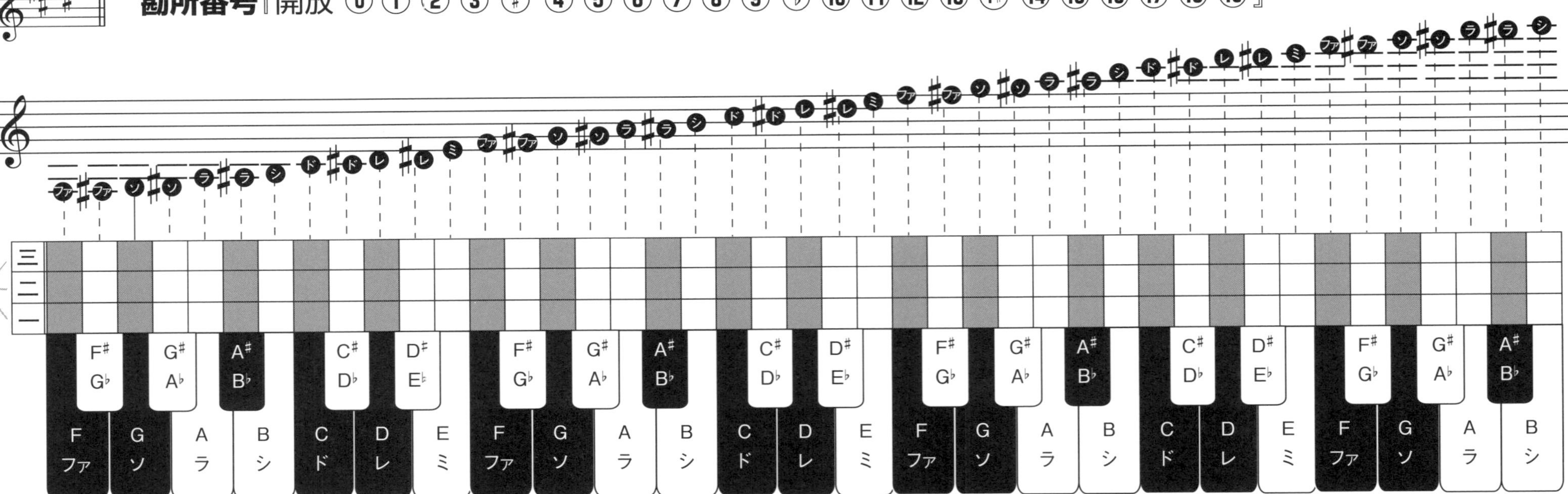

【本調子・二上り・三下り・六下り・水調子】(　　ー　　ー　　)

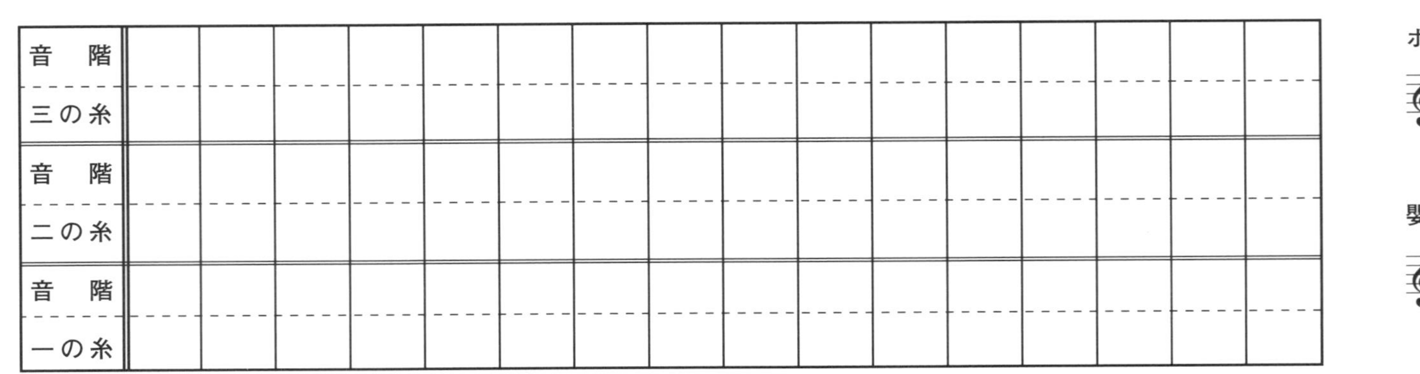

音　階																
三の糸																
音　階																
二の糸																
音　階																
一の糸																

ホ長調の音階

嬰ハ短調の音階

■ロ長調　B major／嬰ト短調　G♯ minor

♯5つ

勘所番号『開放 ⓪ ① ② ③ ♯ ④ ⑤ ⑥ ⑦ ⑧ ⑨ ♭ ⑩ ⑪ ⑫ ⑬ 1♯ ⑭ ⑮ ⑯ ⑰ ⑱ ⑲』

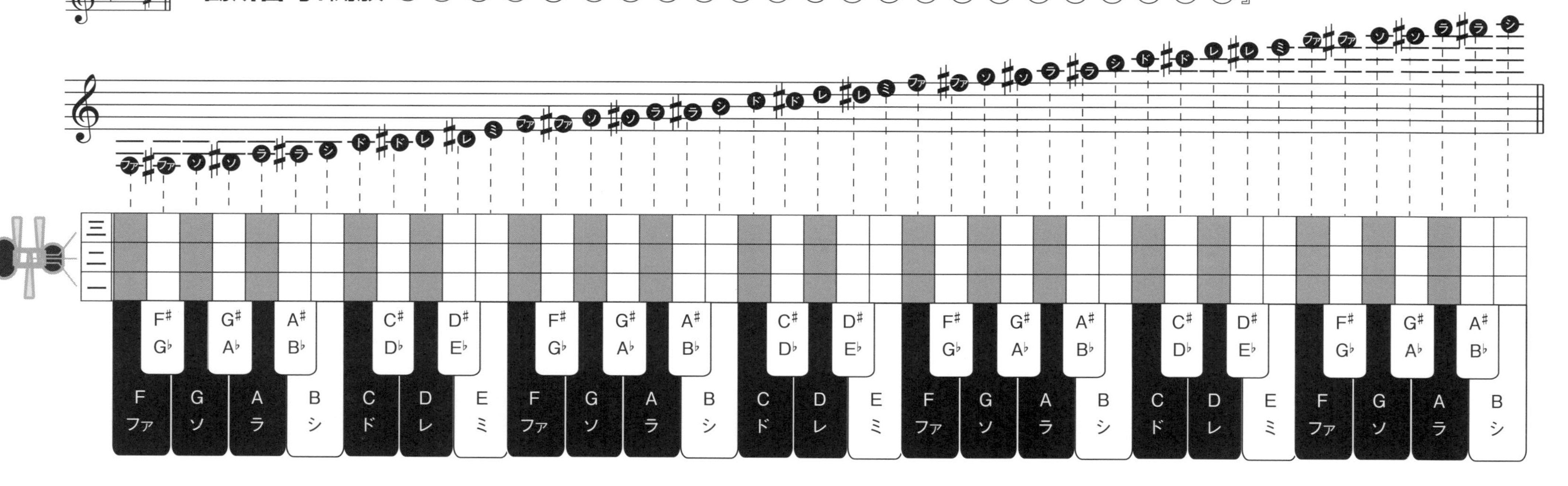

【本調子・二上り・三下り・六下り・水調子】(　　ー　　ー　　)

音　階																
三の糸																
音　階																
二の糸																
音　階																
一の糸																

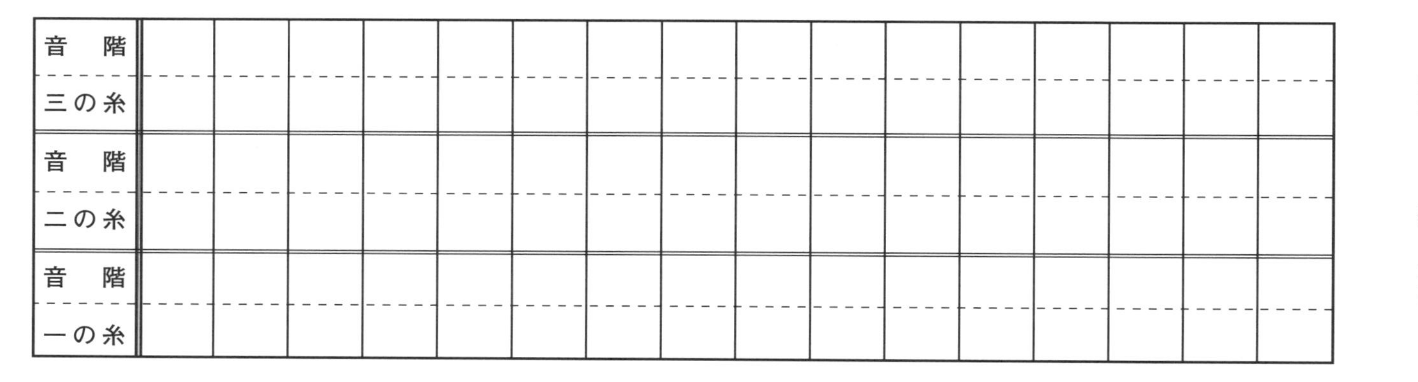

■嬰ヘ長調　F♯ major／嬰ニ短調　D♯ minor　■変ト長調　G♭ major／変ホ短調　E♭ minor（異名同音）

♯6つ　♭6つ

勘所番号『開放 ⓪ ① ② ③ ♯ ④ ⑤ ⑥ ⑦ ⑧ ⑨ ♭ ⑩ ⑪ ⑫ ⑬ 1♯ ⑭ ⑮ ⑯ ⑰ ⑱ ⑲』

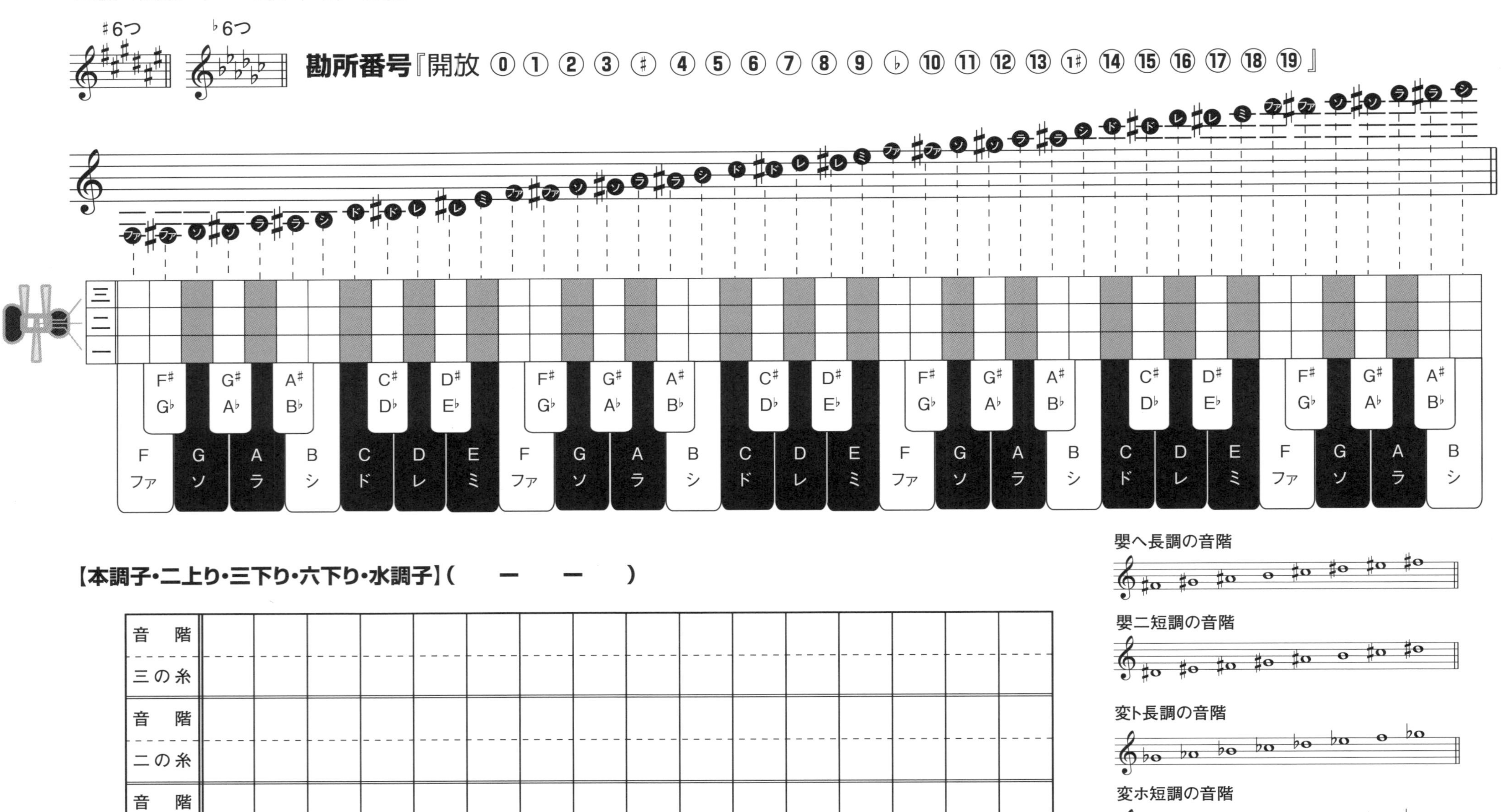

【本調子・二上り・三下り・六下り・水調子】(　　ー　　ー　　)

音　階															
三の糸															
音　階															
二の糸															
音　階															
一の糸															

■へ長調　F major／ニ短調　D minor

♭1つ

勘所番号『開放 ⓪ ① ② ③ ♯ ④ ⑤ ⑥ ⑦ ⑧ ⑨ ♭ ⑩ ⑪ ⑫ ⑬ 1♯ ⑭ ⑮ ⑯ ⑰ ⑱ ⑲』

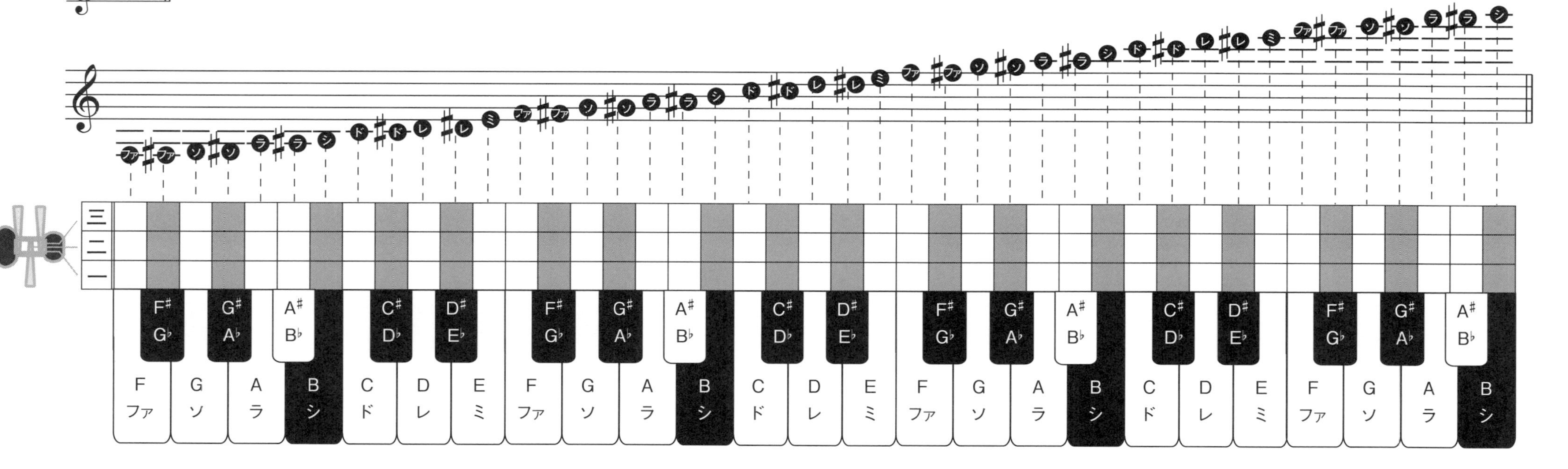

【本調子・二上り・三下り・六下り・水調子】(　　ー　　ー　　)

音　階																
三の糸																
音　階																
二の糸																
音　階																
一の糸																

へ長調の音階

ニ短調の音階

■変ロ長調　B♭ major／ト短調　G minor

勘所番号『開放 ⓪ ① ② ③ ♯ ④ ⑤ ⑥ ⑦ ⑧ ⑨ ♭ ⑩ ⑪ ⑫ ⑬ 1♯ ⑭ ⑮ ⑯ ⑰ ⑱ ⑲』

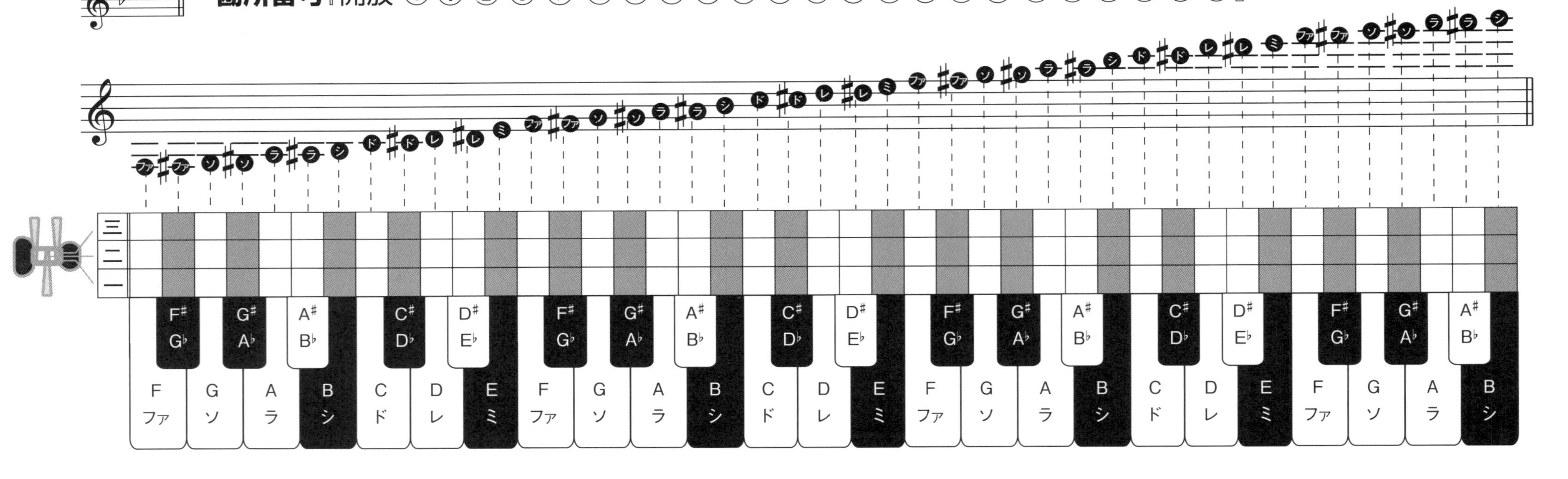

【本調子・二上り・三下り・六下り・水調子】(　　ー　　ー　　)

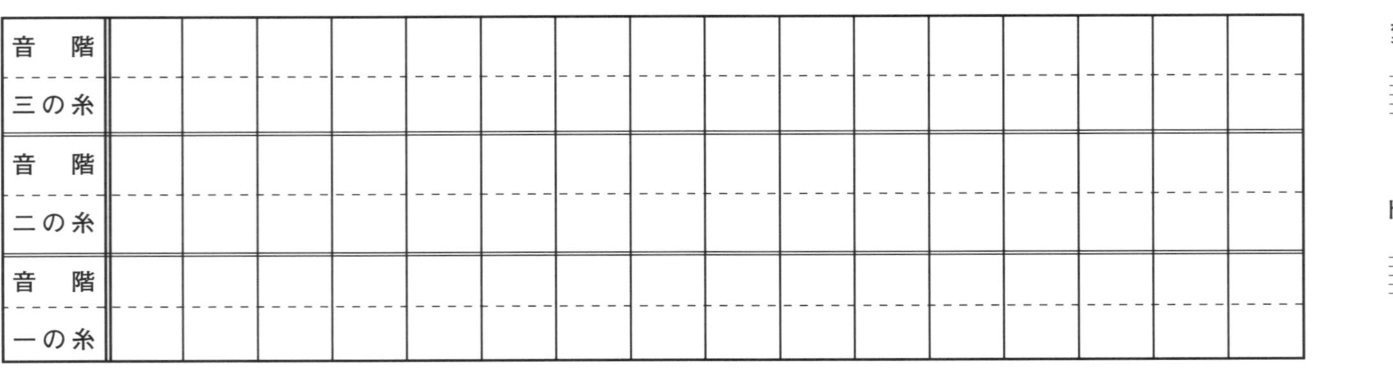

音　階																
三の糸																
音　階																
二の糸																
音　階																
一の糸																

変ロ長調の音階

ト短調の音階

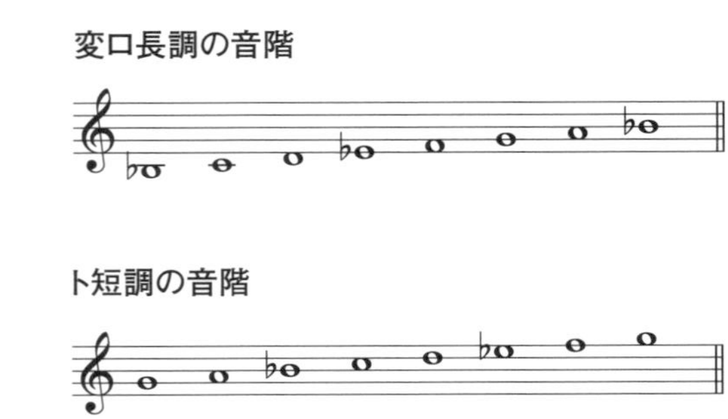

■変ホ長調　E♭ major／ハ短調　C minor

勘所番号『開放 ⓪ ① ② ③ ♯ ④ ⑤ ⑥ ⑦ ⑧ ⑨ ♭ ⑩ ⑪ ⑫ ⑬ 1♯ ⑭ ⑮ ⑯ ⑰ ⑱ ⑲』

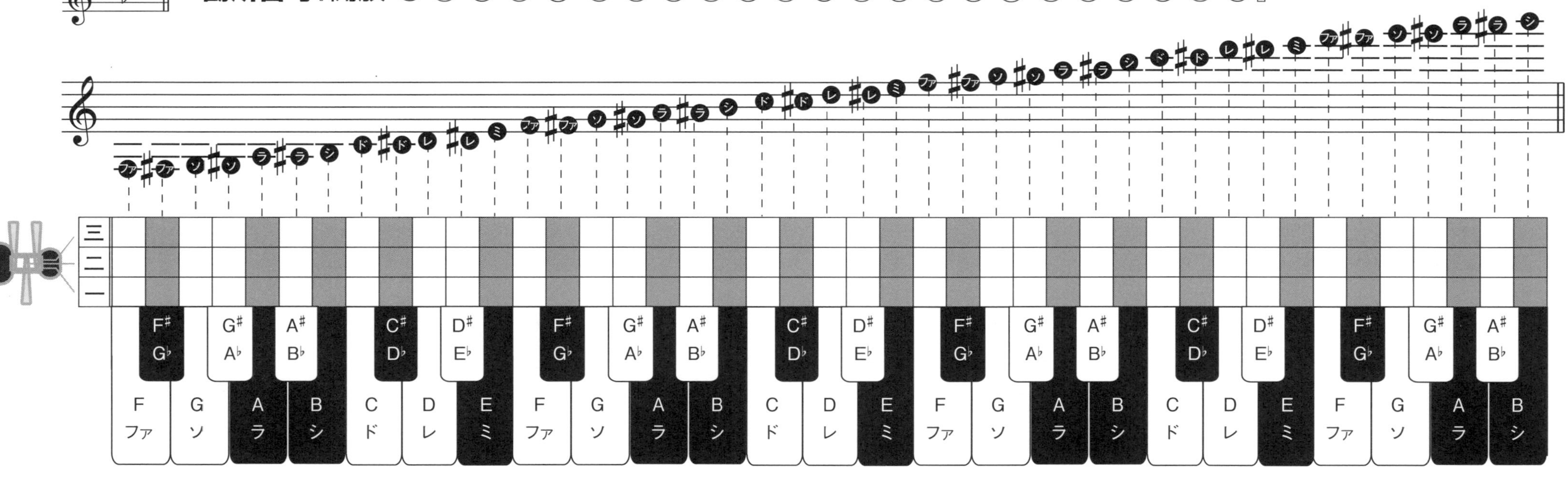

【本調子・二上り・三下り・六下り・水調子】(　　ー　　ー　　)

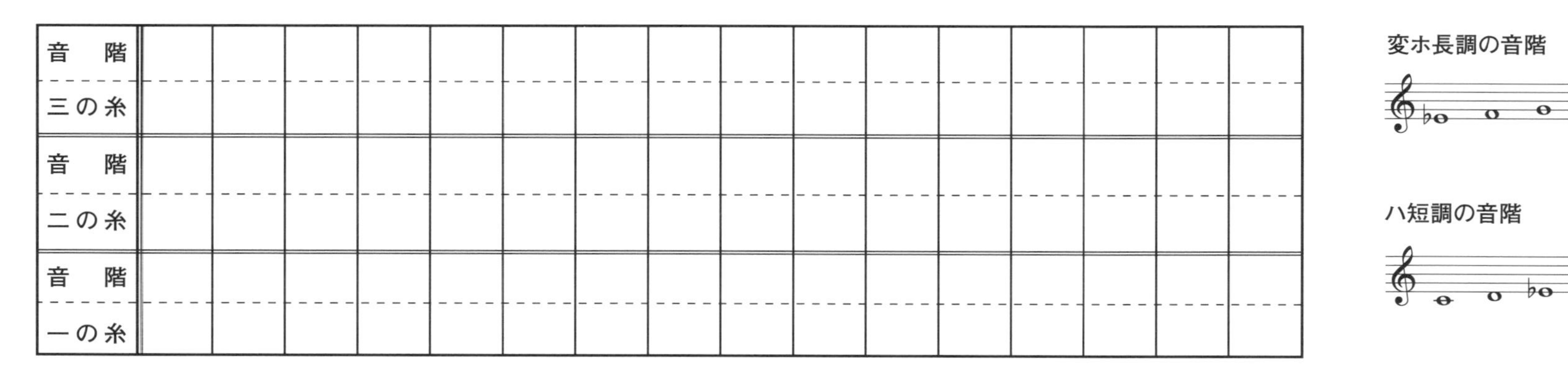

音　階																
三の糸																
音　階																
二の糸																
音　階																
一の糸																

変ホ長調の音階

ハ短調の音階

■変イ長調　A♭ major／ヘ短調　F minor

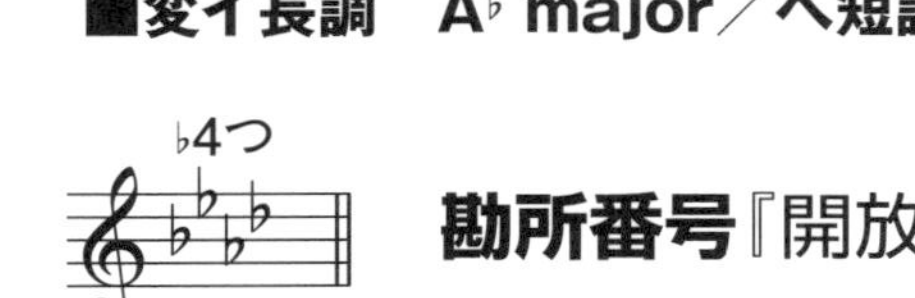

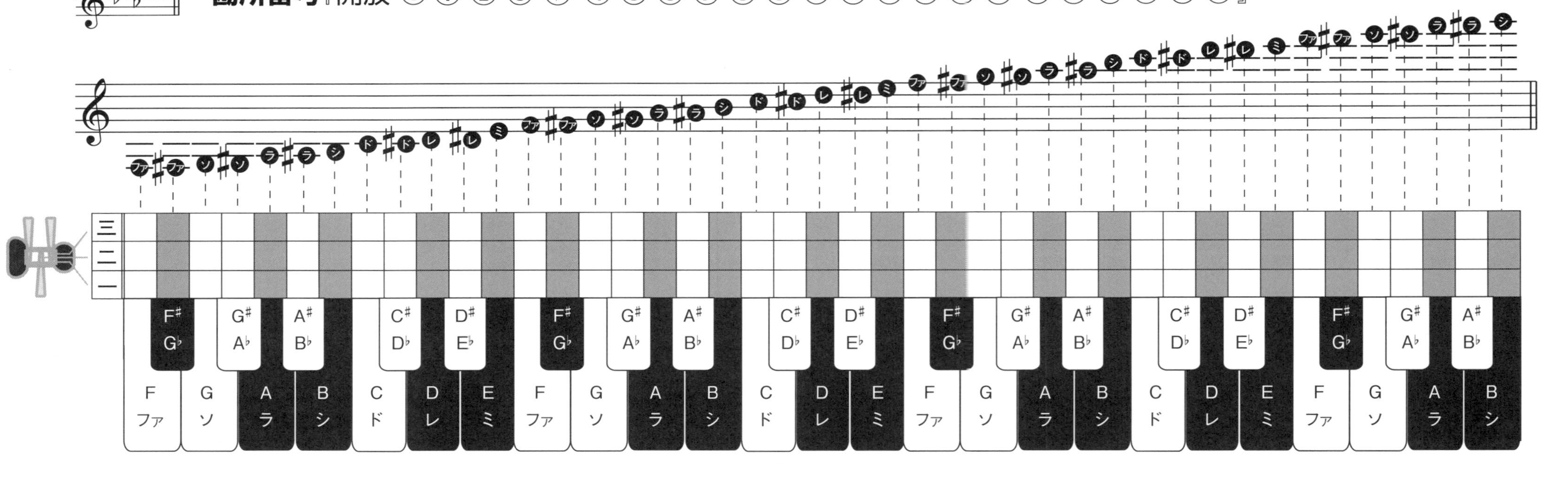

【本調子・二上り・三下り・六下り・水調子】(　　ー　　ー　　)

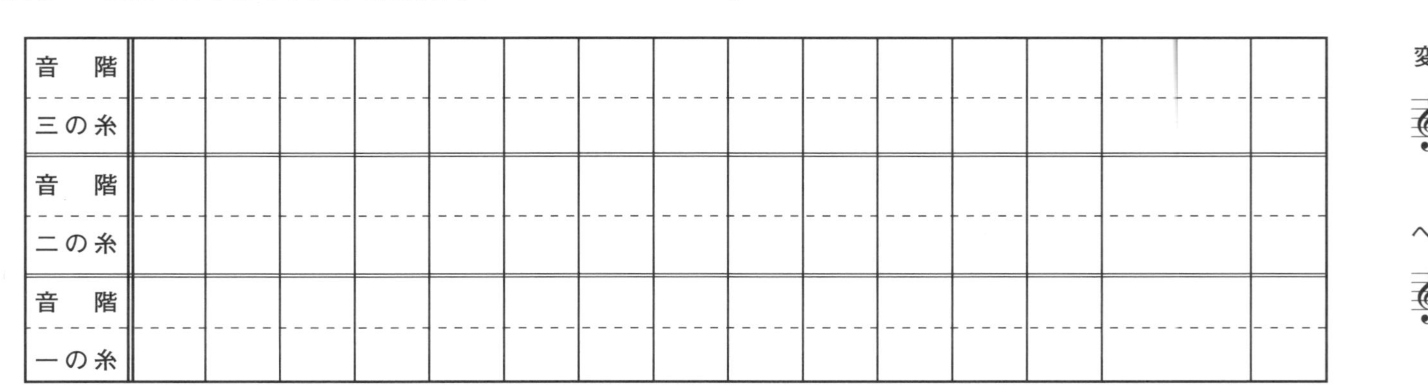

音　階																
三の糸																
音　階																
二の糸																
音　階																
一の糸																

変イ長調の音階

ヘ短調の音階

■変ニ長調　D♭ major／変ロ短調　B♭ minor

♭5つ

勘所番号『開放 ⓪ ① ② ③ ♯ ④ ⑤ ⑥ ⑦ ⑧ ⑨ ♭ ⑩ ⑪ ⑫ ⑬ 1♯ ⑭ ⑮ ⑯ ⑰ ⑱ ⑲』

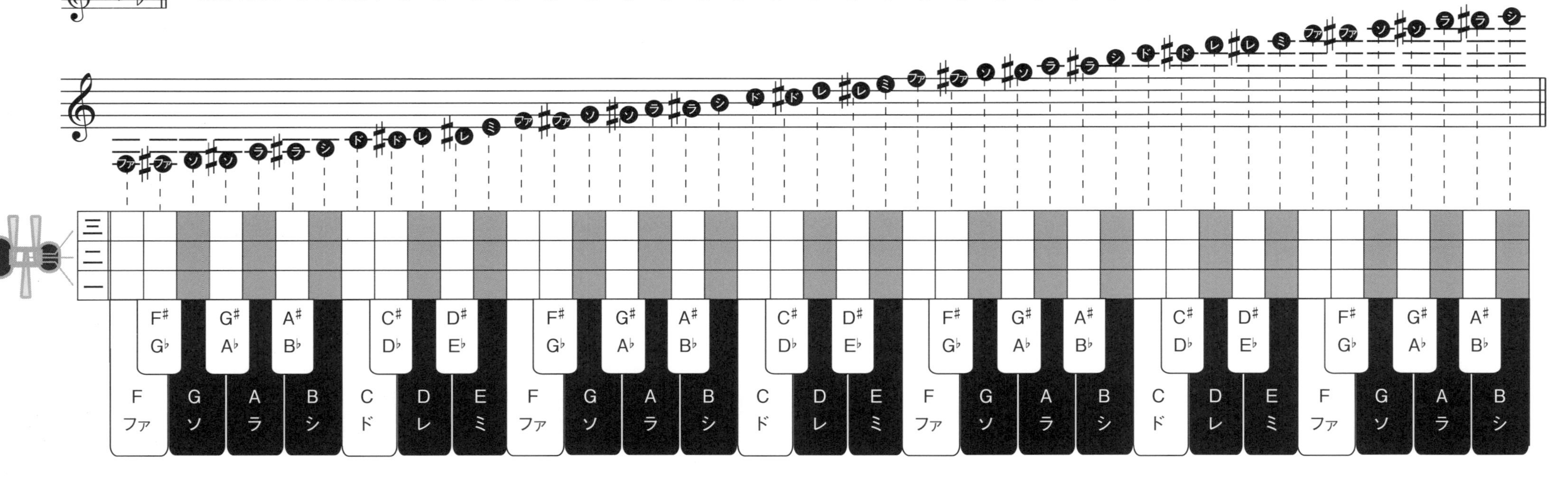

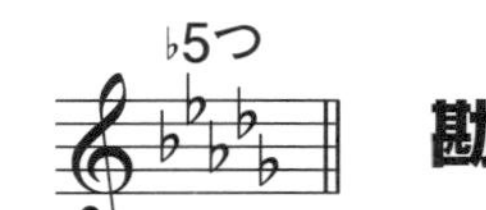

【本調子・二上り・三下り・六下り・水調子】(　　ー　　ー　　)

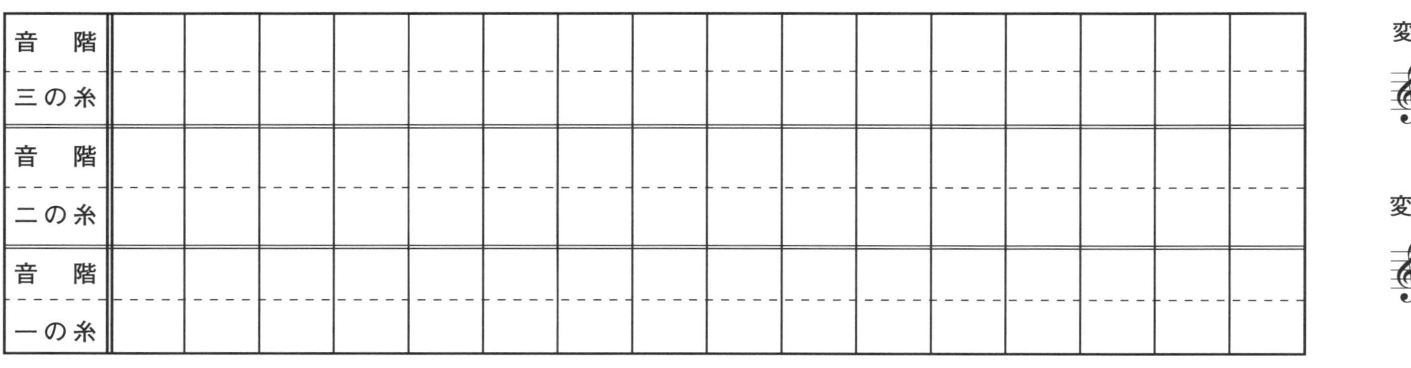

音　階																
三の糸																
音　階																
二の糸																
音　階																
一の糸																

変ニ長調の音階

変ロ短調の音階

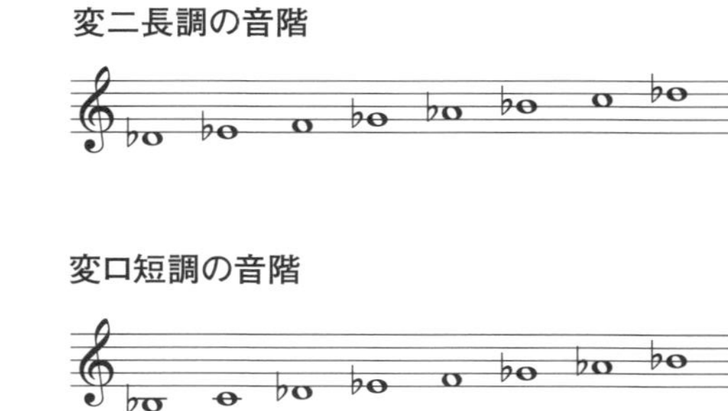

■著者プロフィール

千葉 登世（ちば とよ）

日本料理「精覚流」八代家元 島根祺長の孫として神奈川県川崎市に生まれる。幼少の頃より和食の世界と繋がりの深い伝統音楽に触れつつ、多ジャンルの音楽を学ぶ。津軽三味線を澤田勝成氏に師事、ジャズを坂本輝氏に師事、楽典・インプロヴィゼイションを宮本大路氏に師事。神奈川県鎌倉市在住。Bornfree（生涯学習音楽普及支援協会【https://www.bornfree2018.com/】）代表、NPO 法人 SeedsAPP ICT 特別講師、「千葉音楽教室」を主宰する他、国内外において精力的に幅広い活動を行っている。

■活動経歴

オーストリア……… ウィーンコンツェルトハウス公演
アメリカ…………… サンフランシスコ チェリーブロッサムフェスティバル
サンフランシスコ Kanrin Maru 150 周年記念公演
ニューヨーク カーネギー大ホール公演
オーストラリア…… シドニーオペラハウス公演
中国………………… 上海万博イベント「東方 TV」出演
日本………………… 日光東照宮奉納演奏会
日本武道館 東京オリンピックプレゼンテーション参加 ギネス認定
浅草公会堂「名流祭」
成田山新勝寺「弦祭り」 ほか

■所属・資格など

澤田流津軽三味線名取 澤田成世（さわだなるせ）
（公財）音楽文化創造　生涯学習音楽指導員 A 級
（公財）音楽文化創造　地域音楽コーディネーター
日本音楽療法学会　音楽療法士
PSTA（Piano Study teacher's association）認定講師
大人のための PSTA（Piano Study teacher's association）認定講師
jet（全日本エレクトーン指導者協会）認定講師
YAMAHA 大正琴指導者認定講師
YAMAHA「ヴィオリラ」指導者認定講師
（株）SUZUKI ケンハモ認定講師
（株）SUZUKI リズムサークル認定ファシリテーター
（同）音楽呼吸総研ケンハモ音楽呼吸法トレーナー
全日本情報学習振興会認定試験官
Odyssey Microsoft Office Specialist 検定試験官
Odyssey IC³（アイシースリー）検定試験官
パソコン検定協会「P 検」認定試験官
（財）日本漢字能力検定協会「漢検」認定試験官

■写真提供

平家琵琶（平曲）…… 今井検校勉
箏曲演奏家…………… 亀山香能
尺八演奏家…………… 善養寺惠介
山田流箏曲…………… 山田松和
西川流日本舞踊……… 西川翠扇
西川流日本舞踊……… 西川翠世
GFDL

・独立行政法人日本芸術文化振興会国立劇場
〒 102-8656　東京都千代田区隼町 4-1
TEL：03-3265-6300
・浜松市楽器博物館
〒 430-7790　静岡県浜松市中区中央 3-9-1
TEL：053-451-1128/FAX：053-451-1129

■ STAFF

（公財）音楽文化創造地域音楽コーディネーター　千葉弘子
イラストレーター　和田 愛

■参考文献

『伝統芸能』三隅治雄監修（ポプラ社）…ほか

■撮影協力

・有限会社　海宝堂（営業時間 9:00~18:00）
〒 133-0055　東京都江戸川区西篠崎 1-6-2
TEL：03-3678-6470（代）/FAX：03-3678-6487
・三味線専門店　有限会社　三味線かとう
（営業時間 10:00~18:00）
〒 116-0012　東京都荒川区東尾久 6-26-4
TEL：03-3892-6363/FAX：03-3892-6337
・有限会社　紅屋（営業時間 10:00~19:00）
〒 252-0001　神奈川県座間市相模が丘 1-40-13
TEL：046-254-4681/FAX：046-254-4723
・すずのき大船店（10:00~20:00）
〒 247-0056 神奈川県鎌倉市大船 6-1-1
イトーヨーカドー大船店 2F
TEL：0467-47-4485

五線と文化譜でわかりやすい！ **やさしい三味線講座** ―― 定価（本体 1900 円＋税）

編著者――千葉登世（ちばとよ）
編集者――大塚信行
表紙デザイン――オングラフィクス
発行日――2023 年 10 月 30 日
編集人――真崎利夫
発行人――竹村欣治
発売元――株式会社自由現代社
〒 171-0033 東京都豊島区高田 3-10-10-5F
TEL03-5291-6221/FAX03-5291-2886
振替口座 00110-5-45925

ホームページ――http://www.j-gendai.co.jp

ISBN978-4-7982-2634-7